中华人民共和国法律释义丛书

全国人民代表大会常务委员会法制工作委员会　编

中华人民共和国
劳动争议调解仲裁法释义

主　编:信春鹰(全国人大常委会法制工作委员会副主任)

副主编:李　援(全国人大常委会法制工作委员会行政法室主任)

张世诚(全国人大常委会法制工作委员会行政法室副主任)

法律出版社

图书在版编目(CIP)数据

中华人民共和国劳动争议调解仲裁法释义／全国人大常委会法制工作委员会编. -- 北京：法律出版社，2008.2(2018.11 重印)
(中华人民共和国法律释义丛书)
ISBN 978－7－5036－8138－7

Ⅰ.①中… Ⅱ.①全… Ⅲ.①劳动争议－劳动法－法律解释－中国 Ⅳ.①D922.591.5

中国版本图书馆 CIP 数据核字(2008)第 007253 号

中华人民共和国劳动争议调解仲裁法释义
ZHONGHUA RENMIN GONGHEGUO LAODONG ZHENGYI TIAOJIE ZHONGCAIFA SHIYI

全国人大常委会法制工作委员会 编

责任编辑 麦 锐
装帧设计 李 瞻

编辑统筹 法规出版分社
出版 法律出版社
开本 850 毫米×1168 毫米 1/32
总发行 中国法律图书有限公司
印张 10
经销 新华书店
字数 170 千
印刷 北京玺诚印务有限公司
版本 2008 年 2 月第 1 版
责任印制 吕亚莉
印次 2018 年 11 月第 3 次印刷

法律出版社／北京市丰台区莲花池西里 7 号(100073)
网址／www. lawpress. com. cn
投稿邮箱／info@ lawpress. com. cn
销售热线／010－83938336
举报维权邮箱／jbwq@ lawpress. com. cn
咨询电话／010－63939796

中国法律图书有限公司／北京市丰台区莲花池西里 7 号(100073)
全国各地中法图分、子公司销售电话：
统一销售客服／400－660－6393
第一法律书店／010－83938334/8335 西安分公司／029－85330678 重庆分公司／023－67453036
上海分公司／021－62071639/1636 深圳分公司／0755－83072995

书号：ISBN 978－7－5036－8138－7 **定价：**46.00 元

总　　序

人类文明的历史上，还没有哪一个时代像中国的改革开放40年一样，在历史长河中掀起如此巨大的浪花——它不仅深刻改变了一个国家的面貌与精神气质、使数亿人摆脱贫困，还极大地改变了世界格局。

1978，在那一年的年底，中共中央一次全体会议——十一届三中全会扭转了中国的前进方向，开辟了一个时代。回首过去，我们发现，一些观念从那时开始在中国出现，一些声音从那时开始逐渐响起，一些人物开始登上历史舞台。从这一年开始，随着“加强社会主义民主，健全社会主义法制”历史性任务的提出，“法制”两个字进入了人们的视野；政法机关开始恢复重建；法律院系开始蓬勃发展。一部部法律从庙堂走进了人们的生活，一次次裁决推动着国家前进的脚步。从“有法可依、有法必依、执法必严、违法必究”到“科学立法、严格执法、公正司法、全民守法”；从“法制”到“法治”；从法治观念的形成到“依法治国，建设社会主义法治国家”写进宪法，再到“法治国家、法治政府、法治社会一体建设”，人们对法治的认识步步深入，中国的改革不断向前推进，结出丰硕的果实。在中国共产党的带领下，这个励精图治的古老国度，再一次创造了改革的奇迹。

40年发生了无数故事,40年产生了许多事物。为了纪念这难忘的40年,本社组织编辑出版了一批"纪念改革开放40周年"主题图书。这些图书,将40年来颁布的重要法律及其释义甄选汇集,将法学领域有代表性的学术论文萃取精编,把有关政法机关的重建、法律院系的重生与发展进行展现,将一批被时代改变命运的人物再次唤起。我们希望从法律与法律人的视角,重新审视过去的40年,认真体会这不平凡的40年。

如江河东下,逝者如斯。岁月总会过去,人事总有代谢,但一个不平凡的时代留下的深刻痕迹,永远不会磨灭。"不忘初心,牢记使命",习近平总书记在党的十九大报告中向全党发出的号召,使我们有理由期待,下一个40年,中国将更加惊艳!

法律出版社编辑委员会

2018年10月

出 版 前 言

《中华人民共和国法律释义丛书》是由全国人大常委会法制工作委员会组织编辑的一套系列丛书。

该套丛书由一系列法律释义组成。邀请有关专家、学者和部分参与立法的同志编著。该丛书坚持以准确地反映立法宗旨和法律条款内容为最基本要求，在每部法律释义中努力做到观点的权威性和内容解释的准确性。

我们相信，该套丛书的陆续出版，将会给广大读者进一步学好法律提供有益的帮助。

重印说明

本次重印,是为改革开放40周年制作的特别纪念版,为了保持内容原貌,未对正文和附录作实质修改。个别法条内容有修订或修正的,以脚注形式作了标注。特此说明。

2018年10月

前　言

为了配合劳动争议调解仲裁法的学习、宣传，帮助企业、事业单位、劳动调解组织、劳动仲裁机构和广大劳动者准确理解立法的原意和各项规定，保证劳动争议调解仲裁法的贯彻实施，全国人大常委会法制工作委员会行政法室参与本法立法工作的同志编写了这本书，供大家学习参考。参加本书编写的有：李援、张世诚、童卫东、黄薇、刘海涛、郑全红、齐冰、黄海华、张晓莹、曹阳、李辉、张涛等。本书力求准确、详尽、通俗地解释条文的内容。但因时间和水平所限，不妥之处敬请读者批评指正。

目　录

第一部分　释　义

第二部分　附　　录

第一部分 释 义

第一章 总 则

第一条 为了公正及时解决劳动争议，保护当事人合法权益，促进劳动关系和谐稳定，制定本法。

【释义】 本条是关于本法立法目的的规定。

劳动争议，也称“劳动纠纷”“劳资争议”，是指用人单位和劳动者在执行劳动方面的法律、法规和劳动合同、集体合同的过程中，就劳动的权利义务发生分歧而引起的争议。劳动争议不同于民事争议，用人单位和劳动者双方存在管理和被管理关系，双方并不是处于平等主体的地位。劳动争议的特点是：第一，劳动争议的主体是劳动关系双方，即发生在用人单位和劳动者之间，二者之间形成了劳动关系，因而所发生的争议称为劳动争议；第二，劳动争议必须是因为执行劳动法律、法规或者订立、履行、变更、解除和终止劳动合同而引起的争议。有的争议虽然发生在用人单位和劳动者之间，但争议的内容不涉及劳动合同和其他执行劳动方面的法律、法规问题,如劳动者一方因为与用人单位发生买卖合同方面的纠纷,属于民事争议,不是劳动争议。

近几年来,随着工业化、城镇化和经济结构调整进程的加快,企业制度改革不断深化,企业形式和劳动关系日趋多样化,劳动用工制度发生深刻变革,劳动争议案件数量大幅度上升,争议案件日趋复杂,争议内容日益多样化,调处难度加大;同时,劳动争议处理周期长,劳动者维权成本高,以及仲裁与诉讼不衔接等问题的存在,影响了对劳动争议案件的公正及时处理。为了解决这些问题,有必要制定专门的劳动争议调解仲裁法,进一步完善劳动争议处理的程序制度,公正及时地解决劳动争议,促进劳动关系和谐稳定。2007 年 8 月劳动争议调解仲裁法(草案)提交十届全国人大常委会第二十九次会议审议,经过三次审议,全国人大常委会第三十一次会议审议通过了本法。根据本法第一条的规定,本法的立法目的有三层含义:

(一)公正及时地解决劳动争议

公正及时是解决劳动争议的一项基本原则。本法从性质上说是程序法,通过规范劳动争议调解仲裁的具体程序制度,使劳动争议得到公正及时的处理。因此,劳动争议处理机构应当公正执法、依法保障双方当事人的合法权益,对当事人在适用法律上一律平等,不得偏袒或者歧视任何一方;同时,劳动争议在处理时应注意及时处理,防止久拖不决。劳动争议案件具有特殊性,它关系到劳动者的就业、劳动报酬、劳动条件、社会保险等切身利益问题,如不及时予以处理,势必会影响劳动者及其家庭的生活,也不利于用人单位生产秩序的稳定,甚至影响社会稳定。所以劳动争议处理机构在处理劳动争议时,必须要贯彻及时快速处理原则,以保护双方当事人的合法权益。

(二)保护当事人的合法权益

劳动关系的双方当事人为劳动者和用人单位,劳动争议调解仲裁法作为处理劳动争议的专门法,既保护劳动者的合法权益,也保护用人单位的合法权益。关于劳动争议调解仲裁法的立法目的是“保护当事人合法权益”,还是“保护劳动者合法权益”,在立法过程中一直有争议:一种意见认为,劳动争议调解仲裁法属于劳动法律范畴。按照国际上劳动立法的通行规则,应当对劳动者一方予以倾斜性的保护。因为用人单位和劳动者显然在实际地位上不平等,用人单位通常处于强势,而劳动者一方通常处于弱势,因此劳动关系具有不平衡性,本法应当对劳动者予以倾斜性的保护,将立法目的确定为“保护劳动者的合法权益”。另一种意见认为,这部法律虽然属于劳动法律序列,但其性质上是一种程序法,应当体现当事人在程序上平等的基本原则,否则与程序法的性质不符。建议将立法目的明确为“保护当事人的合法权益”。面对这两种不同意见,立法机关经过认真研究认为:一方面,本法作为一部程序法,程序法的性质决定了必须要平等地保护双方当事人在程序上的合法权利,因此,将本法的立法目的定位在“保护当事人的合法权益”是适当的;另一方面,考虑到劳动争议的双方——用人单位和劳动者的实际地位不平等,劳动者作为弱势一方,应当予以适当倾斜性的保护,在这方面可以在“对调解协议申请支付令”“一裁终局”等一些具体的程序制度的设计上有所体现,但在立法目的上不宜只规定“保护劳动者的合法权益”。

(三)促进劳动关系和谐稳定

劳动争议最根本的特点就在于其主体一方是劳动者,这一特点决定了劳动争议处理的重要性。劳动争议直接关系到劳动者基本生活的维持和工作权利的实现,也关系到其家庭的维持和稳定问题,因此,劳动争议是一个带有社会性的问题。必须解决现实中存在的突出问题:时效短、周期长、维权成本高、用人单位恶意延长劳动争议处理期限等。通过公正及时地处理劳动争议,维护劳动者的合法权益,使他们能够分享社会发展成果,有利于构建和谐稳定的劳动关系。如果说劳动法、劳动合同法是从实体上维护劳动者的合法权益,促进劳动关系和谐稳定的话,那么本法则是从程序上维护劳动关系当事人的合法权益,促进劳动关系的和谐稳定。

第二条　中华人民共和国境内的用人单位与劳动者发生的下列劳动争议,适用本法:

(一)因确认劳动关系发生的争议;

(二)因订立、履行、变更、解除和终止劳动合同发生的争议;

(三)因除名、辞退和辞职、离职发生的争议;

(四)因工作时间、休息休假、社会保险、福利、培训以及

劳动保护发生的争议；

（五）因劳动报酬、工伤医疗费、经济补偿或者赔偿金等发生的争议；

（六）法律、法规规定的其他劳动争议。

【释义】 本条是关于本法适用范围的规定。

本法适用于下列劳动争议事项的处理：

（一）因确认劳动关系发生的争议

劳动关系是指用人单位招用劳动者为其成员，劳动者在用人单位的管理下提供有报酬的劳动而产生的权利义务关系。因确认劳动关系是否存在而产生的争议属于劳动争议，适用劳动争议调解仲裁法。在实践中，一些用人单位不与劳动者签订劳动合同，一旦发生纠纷，劳动者往往因为拿不出劳动合同这一确定劳动关系存在的凭证而难以维权。为了更好地维护劳动者的合法权益，劳动争议调解仲裁法将因确认劳动关系发生的争议纳入了劳动争议处理范围，劳动者可以就确认劳动关系是否存在这一事由，依法向劳动争议调解仲裁机构申请权利救济。

（二）因订立、履行、变更、解除和终止劳动合同发生的争议

劳动合同，是指劳动者与用人单位确立劳动关系、明确双方权利和义务的协议。用人单位与劳动者的劳动关系，涉及订立、履行、变更、解除和终止劳动合同的全过程。对于这一过程任何一个环节发生的争议，都可以适用劳动争议调解仲裁法来解决。根据劳动合同法的规定，用人单位应当自用工

之日起即与劳动者建立劳动关系。建立劳动关系,应当同时订立书面劳动合同,并建立职工名册备查,这是第一个环节——订立劳动合同。劳动合同的履行,是指劳动合同在依法订立生效后,双方当事人按照劳动合同约定的条款,完成劳动合同规定的义务,实现劳动合同规定的权利的活动,这是第二个环节。变更劳动合同,是指用人单位和劳动者双方对依法订立的劳动合同的条款所作的修改和增减,这是在履行劳动合同中发生的一种特殊情况,不是每一个劳动者都会遇到的。劳动合同的解除和终止是整个劳动用工过程中的最后一个环节。劳动合同的解除是指用人单位和劳动者双方在合同期满前,提前终止劳动合同的法律效力,解除双方的权利义务关系的行为。劳动合同的终止,是指劳动合同规定的劳动合同履行期限届满,或者因为双方或者一方当事人出现法定的情形而使劳动合同无法履行,因而双方的劳动合同权利义务关系结束的情形。在上述整个劳动用工过程中发生的劳动争议的处理,都可以适用劳动争议调解仲裁法。

(三)因除名、辞退和辞职、离职发生的争议

这一类劳动争议是由于解除和终止劳动关系而引发的争议。所谓除名,是指根据《企业职工奖惩条例》的规定,职工无正当理由经常旷工,经批评教育无效,连续旷工时间超过十五天,或者一年以内累计旷工时间超过三十天的,企业有权予以除名。所谓辞退,是指用人单位依照法律规定的条件和程序,解除与其工作人员的工作关系。所谓辞职,是指劳动者根据本人的意愿,辞去所担任的职务,解除与所在单位的工作关

系的行为。离职是指劳动者根据本人意愿，自动解除与所在单位的劳动关系的行为。因除名、辞退和辞职、离职发生的争议涉及解除和终止劳动关系，适用劳动争议调解仲裁法。

（四）因工作时间、休息休假、社会保险、福利、培训以及劳动保护发生的争议

因工作时间、休息休假发生的争议，主要涉及用人单位规定的工作时间是否符合有关法律的规定，劳动者是否能够享受到国家的法定节假日和带薪休假的权利等而引起的争议；因社会保险发生的劳动争议，主要涉及用人单位是否依照有关法律、法规的规定为劳动者缴纳养老、工伤、医疗、失业、生育等社会保险费用而引起的争议；因福利、培训发生的劳动争议，主要涉及用人单位与劳动者在订立的劳动合同中规定的有关福利待遇、培训等约定事项的履行而产生的争议；因劳动保护发生的劳动争议，主要涉及用人单位是否为劳动者提供符合法律规定的劳动安全卫生条件等标准而产生的争议。

（五）因劳动报酬、工伤医疗费、经济补偿或者赔偿金等发生的争议

这一项规定的内容涉及劳动者与用人单位因金钱给付问题而发生的劳动争议。这里主要谈一下“经济补偿”和“赔偿金”。经济补偿是指根据劳动合同法的规定，用人单位解除和终止劳动合同时，应给予劳动者的补偿。根据劳动合同法的规定，劳动者因用人单位的过错而单方提出与用人单位解除劳动合同的；或者用人单位因为劳动者存在过错之外的原因而单方决定与劳动者解除劳动合同的；或者用人单位提出

动议，与劳动者协商一致解除劳动合同的，应当向劳动者支付经济补偿。同时，在用人单位与劳动者终止固定期限劳动合同或者企业破产、责令关闭、吊销执照、提前解散等情形时，也应当向劳动者支付经济补偿。

赔偿金是指根据劳动合同法的规定，用人单位应当向劳动者支付的赔偿金和劳动者应当向用人单位支付的赔偿金。用人单位应当向劳动者支付的赔偿金，包括：用人单位违反劳动合同法规定与劳动者约定试用期的，如违法约定的试用期已经履行的，由用人单位以劳动者试用期满月工资为标准，按已经履行的超过法定试用期的期间向劳动者支付赔偿金；用人单位未依照劳动合同的约定或者国家规定及时足额支付劳动者劳动报酬，或者低于当地最低工资标准支付劳动者工资的，或者安排加班不支付加班费，以及解除、终止劳动合同，未依照本法规定向劳动者支付经济补偿的，在劳动行政部门责令限期支付后，逾期仍不支付的，用人单位按应付金额百分之五十以上百分之一百以下的标准向劳动者加付赔偿金；用人单位违反劳动合同法规定解除或者终止劳动合同的，应当按照劳动合同法规定的解除终止劳动合同的经济补偿标准的二倍支付赔偿金；用人单位自用工之日起超过一个月不满一年未与劳动者订立书面劳动合同的，应当向劳动者每月支付二倍的工资，或者用人单位违反本法规定不与劳动者订立无固定期限劳动合同的，自应当订立无固定期限劳动合同之日起向劳动者每月支付二倍的工资，等等。

劳动者向用人单位支付的赔偿金，包括劳动者违反劳动合同法规定解除劳动合同，或者违反劳动合同约定的保密义务或竞业限制给用人单位造成损失所应当承担的赔偿金。

（六）法律、法规规定的其他劳动争议

这是一项兜底的规定。除了上述劳动争议事项外，法律、行政法规或者地方性法规规定的其他劳动争议，也要纳入劳动争议调解仲裁法的调整范围。

第三条　解决劳动争议，应当根据事实，遵循合法、公正、及时、着重调解的原则，依法保护当事人的合法权益。

【释义】　本条是关于解决劳动争议应当遵循的原则方面的规定。

（一）解决劳动争议必须根据事实、从实际出发

所谓事实，就是发生的事情，即各种事态的客观存在。人们可以将发生和存在的一切现象和状态（包括精神的或物质的）都称为事实。罗素曾指出“事实的意义就是某件存在的事物，不管有没有人认为它存在还是不存在”。但是牵涉到利益纠纷的时候，尽管是对于同一存在的事实，当事人的认识或者说主张也可能并不一致。那么认清事实，就成为处理和解决各种争议案件的前提和基础。为了解决劳动争议，我们要坚持马克思主义的认识论和方法论，坚持实事求是，一切从具体实际出发，注重证据，注重调查研究，还客观事实以本来面目，并以客观事实作为分清当事人是非曲直和裁判的依据。

（二）解决劳动争议必须以依法保护当事人的合法权益为归宿

由于劳动关系双方的利益存在差异，劳动争议的发生不可避免，而经济体制和劳动制度的改革更使双方的利益矛盾凸显，导致劳动争议大幅度增加。劳动争议处理制度为双方当事人开通了权利救济渠道，使争议能够依照法律途径解决。劳动争议处理机构通过依法受理和审理劳动争议案件，对当事人的合法权益予以维护，对违法或不适当的行为予以纠正，从而起到保护劳动者和用人单位双方的作用。解决劳动争议的过程中要时刻牢记，调解、仲裁乃至诉讼程序的归宿和落脚点都是为了依法保护当事人的合法权益。作为一部程序法，如何真正体现出对当事人合法权益的保护呢？可以体现在以下两个方面：第一，遵循劳动争议调解仲裁法规定的程序，能够公正、及时地解决当事人之间的劳动争议，使当事人的合法权益得到尊重和维护，这是作为一部程序法应有的工具价值；第二，遵循劳动争议调解仲裁法规定的程序，合法、公正地对待当事人，体现出应有的尊重和人文关怀，给当事人一种可以信任法律的感觉，即使没能尽如当事人之意也能让其信服地缓和矛盾，这是劳动争议调解仲裁法自身应当具备的程序法价值。因此，解决劳动争议的过程中对当事人合法权益的维护也是两个方面：既要维护当事人在实体法上的实体权利，又要充分尊重当事人在程序法上的程序权利。

（三）解决劳动争议应当遵循合法、公正、及时的原则

所谓“合法”，是指劳动争议处理机构在调解、仲裁过程中坚持以事实为根据，以法律为准绳，依法处理劳动争议案件。也就是说，调解、仲裁的程序、方法和内容都不得违反法

律，不得损害国家、集体和他人的权益。需要注意的是，这里“合法”一词所指的“法”是一个广义的概念，既包括劳动实体法也包括处理劳动争议的程序法，还包括相关的行政法规和政府规章，如《劳动争议仲裁委员会组织规则》《劳动争议仲裁委员会办案规则》等。还有依法签订的劳动合同、集体合同以及依法制定并经职工代表大会或者职工大会讨论通过的企业规章制度，都可以作为处理劳动争议案件的依据。与诉讼程序不同的是，由于调解、仲裁自身的灵活性，只要不违反法律规定，调解、仲裁可以依据政策文件、道德观念等促使当事人达成调解协议或者作出仲裁裁决。

所谓“公正”，是指在处理劳动争议的过程中，调解和仲裁机构能够公平正义、不偏不倚，保证争议当事人处于平等的法律地位，具有平等的权利和义务，并对人们之间权利或利益关系进行合理的分配。坚持公正原则是正确处理劳动争议的基本前提。由于劳动者和用人单位存在着隶属关系，在现实劳动关系中，劳动者应当服从用人单位的管理和指挥，劳动者相对于用人单位处于弱势地位。劳动争议处理机构一定要坚持公正原则，防止把这种不对等关系带到劳动争议处理程序中，确保劳动者和用人单位在劳动争议解决程序中处于平等地位，任何一方都没有超越另一方的特权。追求这样一种让当事人满意的“公平”，就是追求劳动争议处理的裁判标准公正、程序公正和结果公正。因此，必然要求严格地适用实体法，依照程序法的规定，准确地认定证据和发现客观事实，综合考虑和平衡当事人的各种权益等。

所谓“及时”,是指遵循劳动争议处理法律法规规定的期限,尽可能快速、高效率地处理和解决劳动争议。劳动争议与其他争议的一个重要区别就是,劳动争议与劳动者的生活、企业生产密切相关,一旦发生争议,不仅影响生产、工作的正常进行,而且直接影响劳动者及其家人的生活,甚至影响社会的稳定。因此对劳动争议必须及时处理,及时保护权利受侵害一方的合法权益,以协调劳动关系,维护社会和生产的正常秩序。劳动争议一旦发生,当事人应及时申请处理,调解委员会和仲裁委员会应及时处理,对于处理结果当事人应及时执行。对调解、仲裁不服的,也应及时提起诉讼,寻求救济。需要注意的是,及时原则要求在法定期限或者合理期限内解决劳动争议,要求参与劳动争议处理的各方积极配合,反对拖延、耽误;另外,及时原则要求保证当事人充分行使其程序权利,保证劳动争议案件的处理质量,反对草率、一味求快。

合法、公正、及时可以说都是普适性的法律原则。任何争议案件的解决都必须同时遵循合法原则、公正原则和及时原则,它们虽然各自代表着不同的价值追求,但是在处理争议案件的过程中又是有机统一、相辅相成的整体,最终目的都是为了维护当事人的合法权益。

(四)解决劳动争议应当遵循着重调解的原则

调解是指在第三人的主持下,依法劝说争议双方进行协商,在互谅互让的基础上达成协议,从而消除矛盾的一种方法。劳动争议属于人民内部矛盾,劳动者与用人单位不存在对立的不可调和的矛盾,经过说服教育和协商对话就有可能及时解决纠纷,化解矛盾,而且由于调解气氛平缓,方式温和,易于被双方接受,因此各国都重视采用调解方法,使之成为解决劳动争议的重要手段。劳动法第七十七条规定:“用人单位与劳动者发生争议,当事人可以依法申请调解、仲裁、提起诉讼,也可以协商解决。调解原则适用于仲裁和诉讼程序。”由此可见,着重调解原则包含两方面的内容:一是调解作为解决劳动争议的基本手段贯穿于劳动争议的全过程。即使进入仲裁和诉讼程序后,劳动争议仲裁委员会和人民法院在处理劳动争议时,仍必须先进行调解,调解不成的,才能做出裁决和判决。二是调解必须遵循自愿原则,在双方当事人自愿的基础上进行,不能勉强和强制,否则即使达成协议或者作出调解书也不能发生法律效力。

随着当前市场经济的发展,劳动争议数量持续上升、快速增长,调解作为一种便捷途径对于解决劳动争议的作用越来越大,而且日益凸显出其他争议解决方法所没有的优越性:第一,劳动争议通过调解解决,不仅节省了争议双方在人力、财力上的支出,同时也能够大大减轻劳动争议仲裁机构和人民法院的工作压力,从而起到节约仲裁资源和诉讼资源、最大限度地减少社会成本的作用。第二,调解是解决劳动争议的第一步。企业劳动争议调解委员会等调解组织如果能够在第一步就把问题解决好,那么大量的劳动争议就能够在基层被消化、处理。这样就可以在节约成本的同时,避免矛盾进一步扩大,大大减少劳动争议带来的负面影响。第三,调解解决争议的方式是民主协商,相互不伤和气,这种氛围下争议双方不仅容易达成一致,而且所达成的调解协议也更容易让当事人遵守和履行。企业和劳动者在互谅互让中增进了解、消除隔阂,又反过来调动了企业和劳动者的积极性,有利于维护劳动关系的和谐稳定。第四,充分利用、整合我国目前存在的基层人民调解组织、企业调解委员会以及在街道、乡镇设立的具有调解职能的组织的调解资源,更有利于化解矛盾于基层,有利于社会的和谐稳定。充分发挥调解组织的作用,对于劳动争议的合法、及时、公正解决很有好处。2006 年全国处理劳动争议案件 6.5 万件,调解成功率达到 79%。

劳动争议调解仲裁法草案曾经研究将调解作为劳动争议处理的必经程序,就是考虑到调解对于解决劳动争议的重要性和优越性。但是,在进一步研究修改的过程中,为了预防人为地延长劳动争议的处理周期,并与司法实践中一贯实行的调解自愿原则保持一致,劳动争议调解仲裁法仍将调解作为自愿选择的程序,但在总则中强调要坚持着重调解的原则,充分发挥调解在解决劳动争议中的积极作用。

第四条　发生劳动争议,劳动者可以与用人单位协商,也可以请工会或者第三方共同与用人单位协商,达成和解协议。

【释义】　本条是关于发生劳动争议,劳动者可以与用人单位进行协商和解的规定。

劳动争议的协商是指发生争议的劳动者与用人单位通过自行协商,或者劳动者请工会或者其他第三方共同与用人单位进行协商,从而使当事人的矛盾得以化解,自愿就争议事项达成协议,使劳动争议及时得到解决的一种活动。这是解决劳动争议的一个环节。发生劳动争议后,由当事人双方进行协商和解,有利于使劳动争议在比较平和的气氛中得到解决,防止矛盾激化,促进劳动关系和谐稳定。

劳动法没有规定劳动争议的协商和解制度。国务院于1993年出台的《企业劳动争议处理条例》规定了劳动争议的协商和解问题,即劳动争议发生后,当事人应当协商解决。本法在《企业劳动争议处理条例》的基础上,进一步完善了这一制度,除了规定发生争议的双方当事人可以自行协商和解外,还增加规定了劳动者可以请工会或者第三方共同与用人单位进行协商。这主要是考虑到劳动者与用人单位相比,通常处于弱势地位,如果单纯由劳动者与用人单位进行协商和解,双方由于存在地位上的不平衡性,通常很难达成和解协议,因此本法增加了劳动者可以请工会或者第三方帮助共同与用人单位进行协商的规定,目的是通过工会和第三方的加入,促成用人单位与劳动者能够坐下来协商,进而达成和解协议,充分发挥"协商"这一方式在处理劳动争议方面的作用。这里"第三方"可以是本单位的人员,也可以是本单位以外的,双方都信任的人员。

协商和解成功后,当事人双方应当签订和解协议。这里应当指出的是,协商这一程序,完全是建立在双方自愿的基础上,任何一方,或者第三方都不得强迫另一方当事人进行协商。如果当事人不愿协商、协商不成或者达成和解协议后不履行的,另一方当事人仍然可以向劳动争议调解组织申请调解,或者向劳动争议仲裁机构申请仲裁。

第五条　发生劳动争议,当事人不愿协商、协商不成或者达成和解协议后不履行的,可以向调解组织申请调解;不愿调解、调解不成或者达成调解协议后不履行的,可以向劳动争议仲裁委员会申请仲裁;对仲裁裁决不服的,除本法另有规定的外,可以向人民法院提起诉讼。

【释义】　本条是关于劳动争议处理的体制的规定。

我国目前的劳动争议处理制度可以用"一调一裁两审"来概括,即发生劳动争议后,当事人除先进行协商外,可以申请劳动调解,调解不成,或者不愿意调解的,当事人可以向劳动争议仲裁委员会申请仲裁;对仲裁裁决不服的,可以向人民法院提起诉讼,其诉讼程序按照民事诉讼法的规定,实行两审终审制。"一调一裁两审"的制度将仲裁作为诉讼的一个前置程序,不经仲裁,当事人不能直接向人民法院提起诉讼。在立法过程中,有的意见建议将这种仲裁前置的程序,修改为"或裁或审",即由当事人选择,仲裁或者诉讼,不再将仲裁作为必经程序,由于减少了一个必经仲裁程序环节,可以解决劳动争议处理时间长的问题。经过立法机关反复研究认为,现行的"一调一裁两审"劳动争议处理程序经过二十多年的实践,已经被社会所接受,能够充分发挥调解和仲裁的作用,使劳动争议尽可能在比较平和的气氛中得到解决,尽量减少打官司。同时,也有利于劳动争议在最初阶段予以化解,也就不存在周期长的问题了。此外,劳动合同与民事合同不同,劳动合同法确立了由政府、工会、企业建立的三方协调机制，劳动行政部门作为政府的主管部门应当督促当事人履行义务，有责任在劳动争议的处理过程中发挥作用，这也是一些国家的通行做法。为了快速处理劳动争议，解决劳动争议处理周期过长的问题，劳动争议调解仲裁法对现行劳动争议处理“一调一裁两审”体制进行重大变革，实行对涉及金额不大的追索劳动报酬、经济补偿、养老金或者赔偿金的争议，以及因执行国家的劳动标准在工作时间、休息休假、社会保险等方面发生的争议一裁终局的制度，对这部分争议案件，劳动争议仲裁委员会的裁决为终局裁决，使劳动纠纷终止于仲裁环节，不再走完全过程，有效解决周期长的问题，真正降低劳动者的维权成本。

（一）申请调解

劳动争议的调解是指在劳动争议调解委员会的主持下，在双方当事人自愿的基础上，通过宣传法律、法规、规章和政策，劝导当事人化解矛盾，自愿就争议事项达成协议，使劳动争议及时得到解决的一种活动。

发生劳动争议，当事人不愿协商、协商不成或者达成和解协议后不履行的，可以向劳动调解组织申请调解。劳动调解组织包括：一是企业劳动争议调解委员会；二是依法设立的基层人民调解组织；三是在乡镇、街道设立的具有劳动争议调解职能的组织。这里要指出的是，调解程序也是一个自愿程序，当事人不愿调解的，可以直接向劳动争议仲裁委员会申请仲裁；如果自劳动争议调解组织收到调解申请之日起十五日内没有达成调解协议，或者达成调解协议后在协议约定的期限内，一方当事人不履行的，另一方当事人可以向劳动争议仲裁委员会申请仲裁。

《企业劳动争议处理条例》规定了着重调解的原则，劳动争议调解仲裁法在此基础上，进一步强化了调解原则，体现在：一是扩大了劳动争议调解组织的范围。劳动法和《企业劳动争议处理条例》规定的劳动争议调解组织仅限于企业内部的劳动争议调解委员会，劳动者与企业发生劳动争议，只能到企业内部的劳动争议调解委员会进行调解；而劳动争议调解仲裁法规定除了企业内部的劳动争议调解委员会外，还增加规定了依法设立的基层人民调解组织和在乡镇、街道设立的具有劳动争议调解职能的组织都可以作为劳动争议调解组织。劳动者与用人单位发生劳动争议，可以到企业内部劳动争议调解委员会、基层人民调解组织、在乡镇、街道设立的具有劳动调解职能的组织中的任何一个申请调解，从而拓宽了当事人申请劳动争议调解的渠道，同时也进一步加强了劳动争议调解组织的建设，使各种调解组织充分发挥作用。二是对劳动争议调解程序作了细化规定。劳动法和《企业劳动争议处理条例》对劳动争议调解的程序只作了原则性的规定，劳动争议调解仲裁法在此基础上，对劳动争议的调解程序作了更加具体的规定，包括劳动争议调解的申请、劳动争议调解的具体要求、劳动调解期限和调解协议的履行，特别是规定了对涉及金钱给付争议的支付令制度，这些都进一步强化了调解程序，从而有利于劳动争议在平和的气氛中得以解决。三是明确规定仲裁庭在作出裁决前应当先行调解。劳动法没有明确规定仲裁庭在作出裁决前,应当进行调解。而劳动争议调解仲裁法为了强化重在调解的原则,把调解作为仲裁庭必须做的一项工作,调解是作出仲裁裁决前的必经程序。

(二)申请仲裁

发生劳动争议,当事人不愿调解、调解不成或者达成调解协议后不履行的,可以向劳动仲裁委员会申请仲裁。

仲裁,也称作"公断",是指争议双方在同一问题上无法取得一致时,由无利害关系的第三者居中作出裁决的活动。仲裁主要分为对经济纠纷的经济仲裁和对劳动争议的劳动仲裁。劳动仲裁是指劳动争议仲裁机构对劳动争议当事人争议的事项,根据劳动方面的法律、法规、规章和政策等的规定,依法作出裁决,从而解决劳动争议的一项劳动法律制度。劳动仲裁不同于仲裁法规定的一般经济纠纷的仲裁,其不同点在于:(1)申请程序不同。一般经济纠纷的仲裁,要求双方当事人在事先或事后达成仲裁协议,然后才能据此向仲裁机构提出仲裁申请;而劳动争议的仲裁,则不要求当事人事先或事后达成仲裁协议,只要当事人一方提出申请,有关的仲裁机构即可受理。(2)仲裁机构设置不同。仲裁法规定的仲裁机构,主要在直辖市、省会城市及根据需要在其他设区的市设立;而劳动争议仲裁机构的设置,主要是在省、自治区的市、县设立,或者直辖市的区、县设立。(3)裁决的效力不同。仲裁法规定一般经济纠纷的仲裁,"实行一裁终局制度",即仲裁裁决作出后,当事人就同一纠纷再申请仲裁或者向人民法院起诉的,仲裁委员会或者人民法院不予受理;劳动争议仲裁,当事人对裁决不服的,除劳动争议调解仲裁法规定的几类特殊劳动争议外,可以向人民法院起诉。由此可见,劳动争议的裁决一般不是终局的,法律规定仲裁这一程序,主要是考虑到这类纠纷的处理专业性较强,由一些熟悉这方面业务的人员来处理效果比较好,有利于快速、高效地解决纠纷,同时也在一定程度上减轻了法院的诉讼压力,节约了审判资源。

与诉讼相比,劳动仲裁法律制度具有一定的优越性,包括:一是快捷。快捷是指用仲裁的方法解决争议,程序简便,时间比较短。劳动争议需要快速处理,当事人一般都不愿意在纠纷处理上花费很长时间和很多精力,仲裁正好适应了这一要求。二是专业性强。参加仲裁的仲裁员是来自劳动和法律方面的专家,具有处理劳动争议的丰富经验,有利于提高仲裁办案质量。但是,仲裁裁决书发生法律效力后,当事人不履行仲裁裁决的,仲裁机构不能强制执行,只能由当事人申请人民法院强制执行。

(三)向人民法院提起诉讼

如果当事人对劳动争议仲裁委员会的仲裁裁决不服的,除本法另有规定的外,当事人可以向人民法院提起诉讼。这里的"除本法另有规定的外"是指本法第四十七条规定的一裁终局的情形。第四十七条规定:"下列劳动争议,除本法另有规定的外,仲裁裁决为终局裁决,裁决书自作出之日起发生法律效力:(一)追索劳动报酬、工伤医疗费、经济补偿或者赔偿金,不超过当地月最低工资标准十二个月金额的争议;

(二)因执行国家的劳动标准在工作时间、休息休假、社会保险等方面发生的争议。”对于上述劳动争议案件的裁决,劳动者不服的,可以直接向人民法院提起诉讼,但是用人单位一方不服的,需要先向法院申请撤销仲裁裁决,在人民法院作出撤销仲裁裁决的裁定后,用人单位可以就争议事项向人民法院提起诉讼。

劳动争议调解仲裁法没有对人民法院审理劳动争议案件的程序进行具体规定。在立法的过程中,是否要将审判程序规定在这部法律中,存在着两种不同意见:一种意见认为,劳动争议处理应当是一个完整的过程,包括调解、仲裁和诉讼三个环节,如果只规定调解和仲裁两个环节,则从法律制度上是不完整的,同时也不利于解决目前裁审制度中由于仲裁和审判依据不同而导致的不衔接的问题。建议增加规定审判的程序,同时将法的名称改为“劳动争议处理法”。另一种意见认为,劳动争议处理制度的确包括调解、仲裁和诉讼三个环节,但是诉讼是一项统一的制度,要遵守民事诉讼法的统一规定。按照现行的体制,人民法院对劳动争议案件的受理、审判和执行都是按照民事诉讼法的规定执行,根据实践需要可以考虑在适当的时机修改民事诉讼法,对劳动争议案件的特殊诉讼程序作出规定,这样做有利于维护诉讼制度的统一。经过认真研究,立法机关采纳了后一种意见,从维护诉讼制度统一的原则出发,没有在劳动争议调解仲裁法中对劳动争议案件的诉讼程序作具体规定,与此相适应,法的名称也确定为“劳动争议调解仲裁法”。

第六条　发生劳动争议，当事人对自己提出的主张，有责任提供证据。与争议事项有关的证据属于用人单位掌握管理的，用人单位应当提供；用人单位不提供的，应当承担不利后果。

【释义】　本条是关于当事人在劳动争议发生后的举证责任的规定。

举证责任，又称证明责任，是指当事人对自己提出的主张，有提出证据并加以证明的责任。如果当事人未能尽到上述责任，则有可能承担对其不利的法律后果。举证责任的基本含义包括以下三层：第一，当事人对自己提出的主张，应当提出证据；第二，当事人对自己提供的证据，应当予以证明，以表明自己所提供的证据能够证明其主张；第三，若当事人对自己的主张不能提供证据或提供证据后不能证明自己的主张，将可能导致对自己不利的法律后果。正是举证责任的存在，使得当事人真切地感受到举证的压力，强有力地促使他们积极举证以打破事实真伪不明的状态，从而能够在查清事实的基础上，合法、公正、及时地解决劳动争议，保护双方当事人的合法权益。因此，将举证责任引入到劳动争议处理的程序阶段，发挥举证责任的法律功能，是完全必要的。

（一）谁主张，谁举证

当事人主张事实进行辩论不能空口无凭，而应提供证据加以证明。谁主张什么谁就应该证明什么，否则，提出的事实将有可能不被认定。“谁主张，谁举证”这一罗马法中的证明责任分配规则，是符合自然正义理念的古老经验，也是世界大多数国家正在采用的一般意义上的举证责任规定。我国民事诉讼法第六十四条规定:“当事人对自己提出的主张,有责任提供证据。”2001 年 4 月 1 日,由最高人民法院制定并已施行的《关于民事诉讼证据的若干规定》第二条规定:“当事人对自己提出的诉讼请求所依据的事实或者反驳对方诉讼请求所依据的事实有责任提供证据加以证明。没有证据或者证据不足以证明当事人的事实主张的,由负有举证责任的当事人承担不利后果。”

劳动争议发生以后,调解、仲裁作为非诉讼程序,与诉讼活动一样首先应当查清事实真相,对于双方当事人主张的事实辨明真伪,才能进一步解决劳动争议,满足或者保护当事人合理的利益主张。在劳动争议的调解、仲裁阶段,当事人应当像参加诉讼活动一样,积极举证,提供证据证明自己所主张的事实。劳动争议虽然有其特殊性,但一般意义上仍属于民事法律争议,本法与民事诉讼法基本一致,将“谁主张,谁举证”作为处理劳动争议的一般举证责任规定。

(二)用人单位的特殊举证责任

举证责任分配的基础是公平原则和当事人提供证据的可能性和现实性。公平原则要求举证责任在原告、被告之间的分配应当符合各自的能力要求,符合权利义务要求,并给予弱者一定的保护。在通常情况下,由原告对自己提出的主张先提供证据,原告对自己所主张的事实提供了证据并使用这些证据证明所主张的事实,被告对原告的主张予以反驳时,才由被告对反驳所依据的事实提供证据并加以证明。但是也有一种例外情况，在某些特殊侵权案件中实行举证责任的倒置。举证责任的倒置，是指在某些特殊情况下，由于案件事实的特殊性，法律在确定举证的顺序时，免除了由原告对其主张的事实首先进行举证的责任，而确定由被告人承担举证责任。它是基于现代民法精神中的正义和公平原则，而对传统的“谁主张，谁举证”进行的补充、变通和矫正。这是举证责任分配中的一种特殊情况，主要基于以下几点考虑：(1)因被害人对由加害人控制的危险领域里发生的侵权事件难以知晓，也难以举证证明；(2)对于该危险领域来说，加害人更容易了解案件的事实和情况，也更容易提出证据证明案件的事实；(3)让加害人对自己控制的危险领域里发生的侵权事件承担证明责任，可以大大预防损害事件的发生。这些特殊情况，根据最高人民法院《关于民事诉讼证据的若干规定》，包括如下几类案件：因新产品制造方法发明专利引起的专利侵权诉讼；高度危险作业致人损害的侵权诉讼；因环境污染引起的损害赔偿诉讼；建筑物或者其他设施以及建筑物上的搁置物、悬挂物发生倒塌、脱落、坠落致人损害的侵权诉讼；饲养动物致人损害的侵权诉讼；因缺陷产品致人损害的侵权诉讼；因共同危险行为致人损害的侵权诉讼；因医疗行为引起的侵权诉讼；依据有关法律规定由被告承担举证责任的等。

本法在一定程度上规定了用人单位的举证责任倒置，但仅仅是涉及“与争议事项有关的证据属于用人单位掌握管理的”情况。这一规定是基于对当事人提供证据的可能性和现实性的考虑，是合理的也是必要的。因为事实上，劳动者和用人单位双方的地位在劳动争议处理程序中处于不平等，双方的维权能力仍然不对称、不平衡。表现在：第一，在劳动争议处理程序中，劳动者仍然是一个个人，通常情况下与掌握大量人力、物力和财力的作为组织体的用人单位相比是弱者，其在劳动争议处理程序中的对抗能力依然远不及用人单位；第二，劳动者在劳动关系中的弱者地位、隶属地位常常使其在劳动争议处理程序中继续处于弱势地位，例如用人单位由于其在劳动关系中的管理者地位掌握着更多的信息，并因而在劳动关系中具有比劳动者强得多的举证能力；第三，劳动争议处理程序中的劳动者常常由于劳动关系尚未解除而仍然处于用人单位的管理之下，这时劳动者在劳动争议处理程序中的行为仍然直接受制于用人者，劳动者在维系其劳动关系的考量中，不可能与用人单位“奋力抗争”；第四，有些与争议事项有关的证据是用人单位掌握管理的，例如人事档案、用工花名册，劳动者无法提供或者很难举证。在这种情况下仍然坚持“谁主张，谁举证”，对于劳动者来说就是有失公平的。本法规定，这些由用人单位掌握管理的证据应当由用人单位提供。用人单位不提供的，这里的“不提供”是指用人单位主观上“不提供”，而不是客观上的“不能提供”。那么，用人单位就必然因为自己不提供其应当提供的证据而承担不利的法律后果。这一举证责任原则，应当贯彻于调解、仲裁、诉讼的全过程。

第七条　发生劳动争议的劳动者一方在十人以上，并有

共同请求的，可以推举代表参加调解、仲裁或者诉讼活动。

【释义】 本条是关于推举代表参加调解、仲裁或者诉讼活动的规定。

目前劳动争议案件的数量持续上升，其中集体劳动争议案件数量也大幅度增长。根据北京市对于劳动争议案件处理情况的统计，自1989年北京市发生第一起集体劳动争议以来，集体劳动争议案件数量逐年递增，年均增幅在20%以上。截止到2005年9月全市累计发生集体劳动争议4472件，涉及人数6075万人。虽然集体劳动争议案件仅占劳动争议案件总数的4.69%，但是涉及人数却占到劳动争议案件总人数的43.57%。集体劳动争议案件涉案人数众多，反映了劳动者权益维护方面的矛盾更加集中，社会影响更大，而且处理难度更大。集体劳动争议往往蕴含着尖锐矛盾，极易引发群体性事件，造成社会不稳定。因此，集体劳动争议案件已经成为近年来的社会热点与焦点问题，并引起了立法者的高度关注。

由于集体劳动争议案件往往涉及众多劳动者，可能十几人、上百人。显然，让这些当事人一起参加调解、仲裁或者诉讼是不现实的，势必造成案件处理的不方便和案件处理时间的冗长；而将所有当事人的案件分别进行处理，既麻烦又可能对同样问题得出相互矛盾的结论。为了解决类似的问题，民事诉讼法创立了代表人诉讼制度，将涉及多数人利益的诉讼分为人数众多且确定的共同诉讼和人数不确定的涉及多数人权益的共同诉讼分别作了规定。即民事诉讼法第五十四条规定："当事人一方人数众多的共同诉讼，可以由当事人推选代表人进行诉讼。代表人的诉讼行为对其所代表的当事人发生效力，但代表人变更、放弃诉讼请求或者承认对方当事人的诉讼请求，进行和解，必须经被代表的当事人同意。”第五十五条规定：“诉讼标的是同一种类、当事人一方人数众多在起诉时人数尚未确定的，人民法院可以发出公告，说明案件情况和诉讼请求，通知权利人在一定期间向人民法院登记。”“向人民法院登记的权利人可以推选代表人进行诉讼；推选不出代表人的，人民法院可以与参加登记的权利人商定代表人。”“代表人的诉讼行为对其所代表的当事人发生效力。但代表人变更、放弃诉讼请求或者承认对方当事人的诉讼请求，进行和解，必须经被代表的当事人同意。”“人民法院作出的判决、裁定，对参加登记的全体权利人发生效力。未参加登记的权利人在诉讼时效期间提起诉讼的，适用该判决、裁定。”在国外，也有类似的代表人诉讼制度，例如美国的集团诉讼制度、日本的选定代表人制度、德国的团体诉讼制度。因此，我国在制定劳动争议调解仲裁法的过程中，将代表人诉讼制度吸收进来，是很有必要的，是适宜的。

根据《最高人民法院关于适用〈中华人民共和国民事诉讼法〉若干问题的意见》第五十九条规定，“《民事诉讼法》第五十四条和第五十五条规定的当事人一方人数众多，一般指十人以上”。因此，劳动争议调解仲裁法对人数作出明确规定，“发生劳动争议的劳动者一方在十人以上，并有共同请求的，可以推举代表参加调解、仲裁或者诉讼活动”。

关于代表人的推选，本条规定十名以上的劳动者可以推举代表参加调解、仲裁或者诉讼活动。当事人必须推举他们之中的人做代表,而不能选当事人之外的人。需要注意的是,还有十名以上的劳动者不愿意推举代表或者不能推举出代表的情况怎么处理,劳动争议调解仲裁法没有明确规定,理论上讲在调解、仲裁阶段,劳动者无论人数多少,愿意参加调解、仲裁的都可以参加;在诉讼阶段,应当参照民事诉讼法律的相关规定。即《最高人民法院关于适用〈中华人民共和国民事诉讼法〉若干问题的意见》第六十条规定:"依照《民事诉讼法》第五十四条规定,当事人一方人数众多在起诉时确定的,可以由全体当事人推选共同的代表人,也可以由部分当事人推选自己的代表人;推选不出代表人的当事人,在必要的共同诉讼中可由自己参加诉讼,在普通的共同诉讼中可以另行起诉。"第六十一条规定:"依照《民事诉讼法》第五十五条规定,当事人一方人数众多在起诉时不确定的,由当事人推选代表人,当事人推选不出的,可以由人民法院提出人选与当事人协商,协商不成的,也可以由人民法院在起诉的当事人中指定代表人。"此外,关于劳动者推举出的代表人行为的效力,劳动争议调解仲裁法没有明确规定。作为一般的民事活动,推举代表人是当事人的意思表示,因此代表人一旦产生,其参加调解、仲裁、诉讼的行为对其所代表的当事人发生效力。但是在某些方面,代表人的行为对其所代表的当事人是无效的,可以参照民事诉讼法第五十四条、第五十五条的规定执行。

第八条　县级以上人民政府劳动行政部门会同工会和企

业方面代表建立协调劳动关系三方机制，共同研究解决劳动争议的重大问题。

【释义】 本条是关于协调劳动关系三方机制的规定。

协调劳动关系三方机制，通常也称为劳动关系三方原则。根据国际劳工组织1976年144号《三方协商促进实施国际劳工标准公约》规定，协调劳动关系三方机制是指政府（通常以劳动部门为代表）、雇主和工人三方之间，就制定和实施经济和社会政策而进行的所有交往和活动。即由政府、雇主组织和工会通过一定的组织机构和运作机制共同处理涉及劳动关系的问题，如劳动立法、经济与社会政策的制定、就业与劳动条件、工资水平、劳动标准、职业培训、社会保障、职业安全与卫生、劳动争议处理以及对产业行为的规范管理。

协商劳动关系三方机制是国际上许多市场经济国家的通行做法，实践证明这一机制能够缓解劳资矛盾、稳定劳动关系，能够维护企业和职工的合法权益，对于促进经济发展和社会进步起到重要作用。正如三角形的架构最具有稳定性，政府（以劳动部门为代表）参与到劳资谈判中来，参与到雇主和工人的交往活动中来，有利于确保雇主和工人之间地位的平衡，对于指导、协调建立稳定的劳动关系能够发挥很好的作用。我国从计划经济时代走到市场经济的今天，依靠单一的行政手段调整劳动关系已经不能处理好国家、企业、职工三方的利益矛盾。因此，借鉴国际经验，通过政府、工会、企业组织建立三方协调机制已成为保障和谐稳定的劳动关系、维护社会安定团结的必然选择。我国于1990年批准了《三方协商促进实施国际劳工标准公约》,并逐步在法律层面上对三方机制作出了规定。2001 年 10 月 27 日新修正的工会法第三十四条第二款规定:“各级人民政府劳动行政部门应当会同同级工会和企业方面代表,建立劳动关系三方协商机制,共同研究解决劳动关系方面的重大问题。”2007 年 6 月 29 日通过的劳动合同法在总则中作出类似的规定,表明了我国劳动法领域对于三方协商机制的充分肯定,对于发挥三方协商机制稳定、协调劳动关系的作用具有极其重要的意义。同样的,在处理劳动争议的过程中,也要充分发挥三方协商机制的作用。作为一个很好的平等对话的制度设计,三方协商机制能够促进企业和职工之间的沟通交流和互相理解,有利于劳动争议的及时解决。

实践中,我国劳动关系协调机制正在逐步确立。2001 年 8 月劳动和社会保障部、全国总工会、中国企业联合会联合宣布,国家将全面启动劳动关系三方(政府、企业、职工)协商机制,以协商形式解决劳动关系中存在的各种问题。目前全国省级和市一级的三方协商机制已经基本建立,并逐步向县(市、区)和产业一级延伸。

在我国,三方协商机制是由代表政府的劳动行政部门、代表职工的工会组织和代表企业的某些企业代表组织组成。具体说,处理劳动争议的三方协商机制中的“三方”是指以下三方:

1. 政府代表。我国工会法和劳动法中都明确规定三方协商机制中的政府代表是劳动行政部门。一直以来,我国参加国际劳工大会的政府代表也是劳动行政部门。因此,处理劳动争议的三方协商机制中的政府代表理应由政府劳动行政部门担任。

2. 职工代表。由于三方机制协商劳动关系方面的重大问题,例如处理劳动争议的重大共性问题,往往会超出具体企业的范围。在这种情况下,代表职工参加三方协商机制的是全国总工会和各级地方总工会。

3. 企业组织代表。由于我国经济体制改革的影响,企业的所有制形式和组织形式发生了巨大变化,代表企业的各种组织也有一个变化发展的过程。改革开放初期,我国是由经贸委代表企业组织。之后,全国各地建立了企业联合会(企业家协会),不过当时该组织代表的是国有企业。随着各类新建企业的迅猛发展,代表非公有制经济的各级工商联组织逐步完善,此外个体经营者协会、青年企业家协会、女企业家协会、民间的商会等纷纷成立,作为企业一方代表,它们都可以成为三方协商机制的一方。目前,在中央层面,是由中国企业联合会或者全国工商业联合会作为企业方代表。

三方协商机制从建立之初就是着眼于协调劳动关系,促进各方利益主体的一致性,最大限度地追求、实现三方共同利益和共同目标。因此要强调大处着眼,避免三方协商机制流于形式,使这一机制能够专注于处理和解决一些大且带有全局性、倾向性的问题,有效发挥作用。本法的规定遵循这个原则,利用三方协调机制,共同研究解决劳动争议的重大问题,充分发挥三方协商机制的作用。

第九条　用人单位违反国家规定，拖欠或者未足额支付劳动报酬，或者拖欠工伤医疗费、经济补偿或者赔偿金的，劳动者可以向劳动行政部门投诉，劳动行政部门应当依法处理。

【释义】　本条是关于用人单位有违反国家规定，拖欠或者未足额支付劳动报酬，或者拖欠工伤医疗费、经济补偿或者赔偿金的，劳动者可以向劳动行政部门进行投诉的规定。

实践中，有大量劳动争议案件涉及用人单位违反国家规定，拖欠或者未足额支付劳动报酬、工伤医疗费、经济补偿或者赔偿金等行为，其中不少案件事实清楚，双方对案件的事实不存在争议，如拖欠劳动报酬的案件，对于劳动者提出的用人单位存在拖欠劳动报酬的事实，用人单位予以承认，但是就以各种理由拖着不支付，对此类案件，由于事实清楚，为了缩短劳动争议处理的时间，节约成本和精力，劳动者不必再走调解、仲裁，再诉讼的劳动争议处理程序，可以直接向劳动行政部门进行投诉，由劳动行政部门依法进行处理。

劳动合同法明确规定，县级以上地方人民政府劳动行政部门负责本行政区域内劳动合同制度实施的监督管理，对下列实施劳动合同制度的情况进行监督检查：（一）用人单位制定直接涉及劳动者切身利益的规章制度及其执行的情况；（二）用人单位与劳动者订立和解除劳动合同的情况；（三）劳务派遣单位和用工单位遵守劳务派遣有关规定的情况；（四）用人单位遵守国家关于劳动者工作时间和休息休假规定的情况；（五）用人单位支付劳动合同约定的劳动报酬和执行最低工资标准的情况；（六）用人单位参加各项社会保险和缴纳社会保险费的情况;(七)法律、法规规定的其他劳动监察事项。此外,2004年国务院颁布的《劳动保障监察条例》规定,劳动保障行政部门对下列事项实施劳动保障监察:(一)用人单位制定内部劳动保障规章制度的情况;(二)用人单位与劳动者订立劳动合同的情况;(三)用人单位遵守禁止使用童工规定的情况;(四)用人单位遵守女职工和未成年工特殊劳动保护规定的情况;(五)用人单位遵守工作时间和休息休假规定的情况;(六)用人单位支付劳动者工资和执行最低工资标准的情况;(七)用人单位参加各项社会保险和缴纳社会保险费的情况;(八)职业介绍机构、职业技能培训机构和职业技能考核鉴定机构遵守国家有关职业介绍、职业技能培训和职业技能考核鉴定的规定的情况;(九)法律、法规规定的其他劳动保障监察事项。根据上述法律、法规的规定,对于用人单位有违反国家规定,拖欠或者未足额支付劳动报酬,或者拖欠工伤医疗费、经济补偿或者赔偿金的,劳动者均可以依法向劳动监察部门进行举报、投诉,由劳动监察部门在查清事实后依法处理。

这里应当指出的是,劳动争议调解组织、劳动争议仲裁委员会在受理劳动争议案件时,如果发现案件属于上述用人单位违反国家规定,拖欠或者未足额支付劳动报酬,拖欠工伤医疗费、经济补偿或者赔偿金的,可以建议劳动者直接向劳动监察部门进行投诉,由劳动监察部门进行处理,以节省劳动者维权的时间和成本,使劳动者能在一个相对短的时间内拿到被拖欠的劳动报酬、工伤医疗费、经济补偿或者赔偿金,从而解决其个人和家庭的生计等问题。但是如果劳动者对上述案件不愿意向劳动行政部门进行投诉,仍坚持走调解、仲裁等劳动争议处理程序的,劳动争议调解组织、劳动争议仲裁委员会应当依法予以受理,不能推诿。

本条是与劳动法、劳动合同法等劳动实体法律相衔接的一个条款。劳动法、劳动合同法都明确规定了用人单位在劳动用工中的法定义务,其中包括不得拖欠劳动报酬、工伤医疗费、经济补偿或者赔偿金等。对于用人单位有上述违法行为的,劳动者可以依法向劳动行政部门进行投诉,劳动行政部门应当依法进行处理。本法在总则中对这一制度再一次予以规定,并不是无意义的重复,而是有着以下的考虑:一是通过由劳动行政部门对用人单位的违法行为进行直接处理,可以分流一部分劳动争议案件,把那些事实清楚,用人单位确实存在违法行为的案件分流到劳动行政部门,由劳动行政部门通过劳动监察的方式进行处理,这样有利于发挥政府部门在监督劳动法律、法规的实施,维护劳动者的合法权益方面的作用,同时也提高劳动争议处理的效率,使得有限的劳动争议处理资源得到更加有效的利用。二是有利于节约劳动者的维权时间和维权成本。由劳动行政部门通过劳动监察的方式,直接责令用人单位支付拖欠的劳动报酬等费用,可以使劳动者的合法权益得到及时的维护。三是可以化解矛盾,预防争议的发生。对那些事实清楚,双方对案件事实基本上不存在争议,只是得不到执行的拖欠案件,通过劳动监察部门的及时处理,可以避免由于长时间拖欠而导致矛盾激化,预防和减少相当一部分劳动争议的发生。

第二章 调 解

第十条 发生劳动争议，当事人可以到下列调解组织申请调解：

（一）企业劳动争议调解委员会；

（二）依法设立的基层人民调解组织；

（三）在乡镇、街道设立的具有劳动争议调解职能的组织。

企业劳动争议调解委员会由职工代表和企业代表组成。职工代表由工会成员担任或者由全体职工推举产生，企业代表由企业负责人指定。企业劳动争议调解委员会主任由工会成员或者双方推举的人员担任。

【释义】 本条是关于劳动争议调解组织的规定。

调解是一种以柔性方式化解矛盾的机制，源于儒家文化，在我国具有悠久的历史传统，新中国成立后，调解制度得到发扬光大。调解解决纠纷，成本低，及时，灵活，可以促使当事人尽快取得谅解，减少双方的对立情绪，防止矛盾激化，被称为“绿色”纠纷处理机制。在解决劳动争议中引入调解机制，把劳动争议解决在基层，化解在萌芽状态，使得劳动关系得以维持，有利于保护劳动者和用人单位双方的利益，有利于和谐劳动关系，可以说调解是一种最经济的劳动争议解决方式。1994年制定的劳动法和1993年国务院通过的《企业劳动争议处理条例》都规定调解是解决劳动争议的基本方式之一。而且从实际情况看，大多数劳动争议是在调解中得到解决。如2005年浙江省仅乡镇劳动争议协调机构调解处理各类劳动争议达34473件，是县级以上劳动争议仲裁委员会立案案件数的两倍；2006深圳市仅通过人民调解解决的劳动争议就有17149件。虽然调解不是解决劳动争议的必经程序，但它是解决劳动争议的第一道防线，在实践中解决了大量的劳动争议。为了发挥调解的优势，使大多数劳动争议通过调解得以解决，本法确立了着重调解的原则，并针对现行调解制度存在的问题作了相应的规定，完善了调解制度。目前调解制度存在的问题是：(1)原有的企业劳动争议调解委员会的作用在削弱。目前法定的调解劳动争议的调解组织是企业设立的劳动争议调解委员会，但建立劳动争议调解委员会的主要是国有企业和集体企业，非公有制度企业劳动争议调解委员会组建率比较低，随着国有企业的改制，我国企业劳动争议调解委员会功能在弱化，组织机构逐渐减少，调解的有效性比较低。(2)新兴的劳动争议调解组织缺少法律依据。为了加强调解的作用，解决企业劳动争议调解作用弱化的问题，一些地方探索劳动争议调解的新路子，如在基层人民调解组织的职能中增加劳动争议调解，发挥基层劳动服务组织的调解作用，建立区域性、行政性劳动争议调解组织等，都取得了很好的效果。

健全劳动争议调解组织,是充分发挥劳动争议调解作用的重要方面,本法立足于现有的劳动争议调解组织的基础上,根据实践的需要,对目前新兴的劳动调解组织形式加以肯定,力求充分发挥各类调解组织的力量,整合资源,形成合力,打造劳动争议调解服务网络,努力将劳动争议解决在调解阶段。本法规定的调解组织有:

(一)企业劳动争议调解委员会

企业劳动争议调解委员会是企业内部解决劳动争议的机制。1993 年国务院通过的《企业劳动争议处理条例》第七条规定企业可以设立劳动争议调解委员会,调解委员会负责调解本企业发生的劳动争议。1994 年制定的劳动法肯定了这一制度。由企业劳动争议调解委员会调解劳动争议,有利于将劳动争议解决在企业内部,使劳动关系得以维持,是一种非常好的解决争议的方式。从实践看,企业劳动争议调解委员会在解决劳动争议中发挥了一定的作用。根据全国总工会的统计,2006 年全国共建立企业劳动争议调解委员会 25.8 万个,受理劳动争议案件 34 万件,调解成功 6.3 万件,占18.5%。为了进一步发挥企业劳动争议调解委员会的作用,本法延续了《企业劳动争议处理条例》和劳动法的规定,将企业劳动争议调解委员会作为调解劳动争议的重要组织之一作了规定,而且还对企业劳动争议调解委员会的组成作了规定。

企业劳动争议调解委员会的组成是本法制定过程中出现争议的一个问题。原《企业劳动争议处理条例》和劳动法都规定企业劳动争议调解委员会由职工代表、企业代表和工会代表三方组成，由工会代表担任劳动争议调解委员会主任。如劳动法第八十条规定：“在用人单位内，可以设立劳动争议调解委员会。劳动争议调解委员会由职工代表、用人单位代表和工会代表组成。劳动争议调解委员会主任由工会代表担任。”但是，目前国有企业数量在减少，企业所有制呈多样化和复杂化，原来适用国有企业的一些制度需要作相应调整，并且企业工会的职责是维护职工的权益，在调解组织中并不是处于中立地位，使得三方原则虚化。因此，劳动争议调解仲裁法（草案）第十条规定：“企业劳动争议调解委员会由职工代表和企业代表组成。职工代表由工会成员担任或者由全体职工推举产生；企业代表由企业负责人指定。企业劳动争议调解委员会主任由双方推举产生。”将企业劳动调解委员会由三方变为两方，将调解委员会主任由工会代表担任变为由双方推举产生。针对这一改变，一些意见认为，工会代表作为企业劳动争议调解委员会中的一方，来组织、主持企业劳动争议调解工作，是由我国工会的性质和特点决定的。应当肯定长期以来工会在企业调解中的作用，建议恢复劳动法的规定，维持现行的做法。考虑到与劳动法制定时相比，目前企业所有制结构发生了较大变化，需要对原来企业调解委员会的组成作出相应的改变，同时为了与现行国有企业由工会主席担任劳动争议调解委员会主任的做法相衔接，最后本法规定：“企业劳动争议调解委员会由职工代表和企业代表组成。职工代表由工会成员担任或者由全体职工推举产生；企业代表由企业负责人指定。企业劳动争议调解委员会主任由工会成员或者双方推举的人员担任。”也就是维持了草案中关于企业劳动争议调解委员会由两方组成的规定，对调解委员会主任如何产生作了相应调整。

(二)基层人民调解组织

基层人民调解组织是我国解决民间纠纷的组织。人民调解是我党的优良传统，早在苏维埃政权时期、抗日战争时期和解放战争时期，就制定了相关的政策文件，发挥调解解决民间纠纷的作用，1954 年 3 月中央人民政府政务院又公布了《人民调解委员会暂行通则》，以法的形式肯定了人民调解在社会主义建设中的作用，使人民调解工作走上了法制轨道。1989 年 6 月国务院制定的《人民调解委员会组织条例》对人民调解制度进一步加以完善，使人民调解成为解决社会矛盾，维护社会稳定的有力手段。根据该条例的规定，人民调解委员会是村民委员会和居民委员会下设的调解民间纠纷的群众性组织，在基层人民政府和基层人民法院指导下进行工作。人民调解委员会由委员三至九人组成，设主任一人，必要时可以设副主任。人民调解委员会委员除由村民委员会成员或者居民委员会成员兼任的以外由群众选举产生，每三年改选一次，可以连选连任。人民调解委员会的任务为调解民间纠纷，并通过调解工作宣传法律、法规、规章和政策，教育公民遵纪守法，尊重社会公德。除了村民委员会、居民委员会设立的人民调解组织外，根据 2002 年 9 月司法部颁布的《人民调解工作若干规定》，乡镇、街道可以设立人民调解委员会，企业事业单位根据需要也可以设立人民调解委员会，根据需要还可以设立区域性、行业性的人民调解委员会。目前，全国98%的乡镇、街道已设立了人民调解组织，在调解民间纠纷方面发挥了重要作用。

为了发挥人民调解组织的作用，解决劳动争议调解力量不足的问题，一些地方探索将劳动争议调解纳入人民调解组织的职能范围，取得了很好的效果。如深圳市宝安区西乡社区在街道人民调解委员会中设立调解中心，依托调解中心，将人民调解员、司法调解员、治安调解员、劳动争议仲裁员以及律师、法律志愿者等力量进行整合，从2006年7月到2007年9月，西乡驻劳动服务站人民调解室共调解劳动争议910件，调解成功率达94%。深圳市2005年通过人民调解解决的劳动争议4129件，2006年为17149件，2007年上半年为7817件，分别占调解纠纷总数的17%、34.9%和29.7%。北京市劳动和社会保障部门与司法行政部门通过协商，建立了主要依托于基层司法所的25个劳动争议调解中心，为及时解决劳动争议发挥了很好的作用。为了充分利用现有的资源，节约成本，本法规定发生劳动争议，当事人可以向基层人民调解组织申请调解。

（三）在乡镇、街道设立的具有劳动争议调解职能的组织

在乡镇、街道设立劳动争议调解组织，是一些经济发达地区为了解决劳动争议的实际需要而设立的区域性的调解组织。据全国总工会统计，2006年全国共设立区域性、行业性劳动争议调解组织1.1万个，受理劳动争议案件10.2万件，调解成功8.3万件，占81%。区域性的劳动争议调解组织一

般由地方政府部门或者地方工会参与，与企业调解委员会相比较，地位超脱，调解员与企业没有利害关系，调解更有权威性，从实践看，区域性、行业性劳动争议调解组织作用发挥较好，成效明显。但是，由于没有统一的法律规范，各地组织形式不同。目前，在乡镇、街道设立的具有劳动争议调解职能的组织主有两种模式：一种是依托于乡镇劳动服务站的调解组织，另一种是依托于地方工会的劳动调解组织。本法肯定了实践中存在的这些区域性的调解组织，一是鼓励现行的区域性调解组织在调解劳动争议方面继续发挥作用；二是也可以根据实践需要把现有的调解组织和资源进行整合，形成合力，发挥最大效用。

1. 依托于乡镇劳动服务站的调解组织。一些地方设立了乡镇、街道劳动服务站具有劳动争议调解职能。如宁波市鄞州区钟公店街道设立的劳动和社会事务管理服务站，有 3 名从事劳动关系协调处理的人员，2005 年处理各类劳动争议案件 202 件，涉及金额 258.6 万元。浙江全省 1500 个乡镇，到 2006 年 9 月共建立乡镇劳动关系协调机构 860 家，其中包括 39 个仲裁派出庭，有工作人员 2132 人，劳动关系协调处理机构隶属当地乡镇政府，由副乡（镇）长任主任，工会、劳动和社会保障服务站、商会等方面参加，具体工作由劳动和社会保障服务站承担，经费由乡镇政府解决。2005 年浙江全省乡镇劳动争议协调机构调解处理各类劳动争议达 34473 件，是县级以上劳动争议仲裁委员会立案案件数的两倍。乡镇劳动关系协调机构已成为浙江劳动争议案件处理的重要力量。还有一种模式如东莞，东莞没有县级建制，全市618个社区（村）居委会中有611个在社区（村）劳动服务站内成立了劳动争议调解办公室，基本覆盖全市的农村、社区。2005年社区（村）劳动争议调解办公室处理劳动争议案件28340件，其中村级劳动争议调解办公室调解处理的案件占全市劳动争议总案件数的81.8%。在1999年以来全市各级劳动争议处理机构共办理劳动争议案件17.67万件中，村级劳动争议调解办公室承担了68%的调解处理任务。

2.依托于地方工会的调解组织。近年来，一些地方在小型非公有制企业和外商投资企业比较集中的乡镇、街道、开发区或社区，由地方工会、政府和企业代表组织等组成区域性、行业性劳动争议调解组织，调解本区域重大疑难劳动争议、集体劳动争议以及未建立劳动争议调解委员会的企业发生的劳动争议。区域性、行业性劳动争议调解组织对解决劳动争议也发挥了积极作用。

发生劳动争议，当事人可以向法律规定的三类调解组织申请调解。企业有劳动争议调解委员会的，劳动者可以向本企业调解委员会申请调解，也可以向其他调解组织申请调解。

第十一条　劳动争议调解组织的调解员应当由公道正派、联系群众、热心调解工作，并具有一定法律知识、政策水平和文化水平的成年公民担任。

【释义】　本条是关于劳动争议调解组织调解员的规定。

根据本条规定，担任劳动争议调解组织的调解员，应当具有以下三个条件：

（一）为人公道正派、联系群众、热心调解工作

调解纠纷，无论是民事纠纷还是劳动纠纷，能否调解成功，在一定程度上需要靠调解员的影响力和说服力，如果调解员公道正派，社会信誉好，具有一定的道德力量和社会影响力，也就是说有威信，这样从中调解，双方容易信服。尤其是当法律、法规或者政策不明确的时候，更需要调解员本人信誉和影响力。联系群众，就是要求调解员善于与人交往，跟群众打成一片，具有较好的沟通能力和亲和力。调解工作是一项耗费时间和精力的工作，有很多情况下调解员是兼职的，是义务性的，没有报酬，因此，需要调解员热心调解工作，愿意为调解工作贡献力量。

（二）具有一定的法律知识、政策水平和文化水平

调解要靠调解员居间“说合”，但调解不是无原则的“和稀泥”，调解劳动争议，要依据劳动法律、法规、规章和政策进行调解，法律、法规、规章和政策没有明确规定的，依据社会公德进行调解。同时，调解员也要通过调解工作，宣传劳动法律、法规、规章和政策，教育公民遵纪守法，尊重社会公德。因此，需要调解员具有一定的法律知识、政策水平和文化水平。本法担任调解员的条件规定得比较有弹性，调解员是否符合法律规定的条件由调解组织来判断。但有一点需要强调，就是要使调解工作有成效，就需要劳动行政部门、工会组织加强对调解员的劳动法律和政策知识进行培训，提高调解员的法律知识、政策水平和文化水平。

（三）应当是成年公民

公民担任调解员，首先自己应当是成年人，具有独立的民事行为能力。根据民法通则第十一条的规定，十八周岁以上的公民是成年人，具有完全民事行为能力。因此，担任调解员必须年满十八周岁，这是担任调解员的最低年龄要求。一般情况下，调解员都是年龄较长、社会阅历丰富的公民。此外，担任调解员还必须是中华人民共和国公民。

第十二条　当事人申请劳动争议调解可以书面申请，也可以口头申请。口头申请的，调解组织应当当场记录申请人基本情况、申请调解的争议事项、理由和时间。

【释义】　本条是关于申请劳动争议调解申请的形式的规定。

调解是解决劳动争议的法定形式之一，为了使调解员能够准确了解发生争议的事实情况和争议的矛盾焦点，便于解决矛盾，达成调解协议，当事人申请劳动争议调解，需要通过一定的表达方式，让调解员知道自己的请求和理由。根据本条规定，当事人申请调解既可以采取书面形式，也可以采取口头形式。

（一）书面申请

书面申请就是采取书写调解申请书的方式，提出调解申请。本法对调解申请书的内容没有作明确规定，实践中，调解申请书应当包括：（1）申请人的姓名、住址和身份证号或者其他身份证件号码以及联系方式和被申请人名称、住所以及法定代表人或者主要负责人的姓名、职务等;(2)发生争议的事实、申请人的主张和理由等。

(二)口头申请

调解是一种比较灵活的处理劳动争议的形式,法律不要求有严格的形式,因此,申请调解,也可以口头申请。口头申请的,调解组织应当当场记录申请人基本情况、申请调解的争议事项、理由和时间。申请人基本情况包括申请人的姓名、住址和身份证号或者其他身份证件号码以及联系方式。此外,还应当记录被申请人名称、住所以及法定代表人或者主要负责人的姓名、职务等。由于调解程序也有时限要求,根据本法第十四条第三款的规定,自劳动争议调解组织收到申请之日起十五日内未达成调解协议的,当事人可以依法申请仲裁。因此,口头申请需要记录申请时间,作为调解组织收到调解申请的时间依据。

第十三条 调解劳动争议,应当充分听取双方当事人对事实和理由的陈述,耐心疏导,帮助其达成协议。

【释义】 本条是关于劳动争议调解方式的规定。

调解劳动争议,就是要做劳资双方的思想工作,以事实为依据,根据法律、法规和政策,陈述利害,晓之以理,动之以情,帮助双方解决分歧,就争议事项达成共识。

(一)充分听取双方对事实和理由的陈述

调解不等于无原则的“和稀泥”,调解劳动争议也要在弄清事实、分清是非的基础上进行。虽然调解协议是双方自愿的,双方也可以处分自己的权利,可以让步,但调解工作还是要以事实为依据。只有事实清楚,矛盾焦点明确,调解工作才能做到“有的放矢”,纠纷才能顺利解决。因此,调解员应当充分听取双方当事人对事实和理由的陈述,也就是说调解员既要听取劳动者一方对事实和理由的陈述,也要听取用人单位一方对事实和理由的陈述,不能只听一方,偏听偏信。由于调解是双方自愿的,调解的成功与否,在一定程度上取决于争议双方解决争议的诚意。因此,本法没有对调解中的证据问题作出明确规定,当事人在陈述事实和理由时,也可以提供相应的证据,以帮助调解员弄清事实,但没有证据,也不妨碍调解工作的进行,调解员也可以主动调查了解,弄清事实。

(二)耐心疏导

调解工作实际上是一种说服教育工作,需要根据法律、法规和政策,摆事实,讲道理,耐心疏导,做到以理服人,而不能以势压人。这就要求调解员有耐心、虚心和诚心,从而引导争议双方以和解的方式解决纠纷,调解员也可以提出调解意见,但不能强迫当事人接受自己的主张。调解协议的内容必须反映双方的真实意思,是双方自愿的结果,调解内容涉及双方当事人权利义务的,调解员应当尊重当事人按照自己的意愿进行处理。如果强迫当事人达成调解协议,不是当事人心甘情愿,即使达成协议,也可能得不到履行。实践中当事人不履行调解协议,多数原因是违反自愿原则,没有做到让当事人心服口服。

在劳动争议调解时,要坚持自愿原则。包括申请调解自愿和达成调解协议自愿。根据《企业劳动争议处理条例》第十一条的规定，调解委员会调解劳动争议应当遵循当事人双方自愿原则。调解自愿的原则，可以从本法相关条款中得到反映，如本法第五条规定，“发生劳动争议，当事人不愿协商、协商不成或者达成和解协议后不履行的，可以向调解组织申请调解；不愿调解、调解不成或者达成调解协议后不履行的，可以向劳动争议仲裁委员会申请仲裁”。因此，是否申请调解，当事人有选择的自由。在制定本法的过程中，为了充分发挥调解作为解决劳动争议“第一道防线”的作用，曾经有意见建议将调解作为解决劳动争议的必经程序。后来考虑到调解的一个基本原则是自愿，如果作为必经程序，违背了自愿原则，如果强制调解，即使达成调解协议，也可能得不到履行，这样做又延长了劳动争议解决的时间，调解制度的效果反而不好。后来就没有采取这一建议。调解还是一个当事人可以自由选择的劳动争议解决方式。本法只是在扩大调解组织的范围，增强调解的有效性等制度设计上，引导当事人自愿选择调解的方式。

第十四条　经调解达成协议的，应当制作调解协议书。

调解协议书由双方当事人签名或者盖章，经调解员签名并加盖调解组织印章后生效，对双方当事人具有约束力，当事人应当履行。

自劳动争议调解组织收到调解申请之日起十五日内未达成调解协议的，当事人可以依法申请仲裁。

【释义】 本条是关于调解协议书和调解协议效力的规定。

(一)制作调解协议书

调解协议书是劳动争议双方达成调解的书面证明,是一项重要的法律文书。本法只对调解协议书的形式作了规定,而没有对调解协议书的内容作明确规定,从实践中看,调解协议主要应当载明争议双方达成的权利和义务的内容、履行协议的期限等。

(二)调解协议的效力

本条规定调解协议书由双方当事人签名或者盖章,经调解员签名并加盖调解组织印章后生效,对双方当事人具有约束力,当事人应当履行。这里的"约束力"是一个什么样的效力?调解协议应当具备什么样的效力?对此有不同的认识。从性质上说,调解协议是双方在自愿的基础上达成的,是双方意思表示一致的结果,相当于合同,应当具有合同的效力。但它又是在调解组织参与下达成的,调解员代表调解组织参与调解,帮助双方当事人达成协议,调解员要在调解协议书上签名,调解组织也得在调解协议上加盖印章,调解协议才生效。因此,调解协议不同于一般的民事合同。为了强调调解协议的效力,有的意见建议应当规定调解协议对当事人具有约束力,不能随意反悔。当事人反悔或者不履行调解协议的,应当有正当理由,从而强化双方当事人的履约意识,维护调解协议的严肃性。还有的建议法律明确规定调解协议具有法律效力,当事人一方不履行,另一方可以申请强制执行。实践中也有的地方规定在调解协议达成后，双方可以向劳动争议仲裁委员会申请将调解协议书置换成劳动仲裁调解书，劳动仲裁调解书一经送达，即发生法律效力，一方当事人不履行的，另一方可以向法院申请强制执行。将调解协议书置换成仲裁调解书的做法，较好地解决了调解协议的法律效力问题，是一种有益的探索。

考虑到调解是当事人自愿选择解决劳动争议的一种形式，调解协议是双方自愿达成的，调解协议能否得到双方的自觉履行，主要看调解协议的内容是否是双方真实意思的反映，如果调解协议反映了双方的真实意思和利益，协议内容公平合理，绝大多数情况下，协议是会得到履行的。本法确立着重调解原则，强化调解的作用，主要是从完善调解制度本身加强调解工作，而不是直接赋予调解协议的法律效力，保证调解的有效性，也就是说主要不是从调解的结果上强化调解的作用。如果法律直接赋予调解协议有申请人民法院强制执行的效力，与调解作为一种柔性化的纠纷解决机制的性质不符，调解也发挥不了很好的效果，起不到缓和矛盾的作用。因此，本法规定调解协议对双方当事人具有约束力，当事人应当履行，而没有直接赋予其具有直接申请强制执行的效力。至于如何理解调解协议的效力和性质，可以参考2002年最高人民法院发布的《关于审理涉及人民调解协议的民事案件的若干规定》对民事调解的相关规定。该规定第一条规定，经人民调解委员会调解达成的、有民事权利义务内容，并由双方当事人签字或者盖章的调解协议，具有民事合同性质。当事人应当按照约定履行自己的义务，不得擅自变更或者解除调解协议。也就是说可以理解调解协议具有劳动合同性质，是劳动争议仲裁委员会或者人民法院裁决劳动争议案件的重要证据，如果没有其他证据证明调解协议无效或者是可撤销的，可以作为仲裁组织裁决和人民法院裁判的依据。最高人民法院《关于审理涉及人民调解协议的民事案件的若干规定》对民事调解协议的无效和可撤销都作了规定。该规定第五条规定："有下列情形之一的，调解协议无效：（一）损害国家、集体或者第三人利益；（二）以合法形式掩盖非法目的；（三）损害社会公共利益；（四）违反法律、行政法规的强制性规定。人民调解委员会强迫调解的，调解协议无效。"第六条规定："下列调解协议，当事人一方有权请求人民法院变更或者撤销：（一）因重大误解订立的；（二）在订立调解协议时显失公平的；一方以欺诈、胁迫的手段或者乘人之危，使对方在违背真实意思的情况下订立的调解协议，受损害方有权请求人民法院变更或者撤销。"此外，该规定还对达成调解协议后的举证责任作了规定，如第三条规定："当事人一方起诉请求履行调解协议，对方当事人反驳的，有责任对反驳诉讼请求所依据的事实提供证据予以证明。""当事人一方起诉请求变更或者撤销调解协议，或者请求确认调解协议无效的，有责任对自己的诉讼请求所依据的事实提供证据予以证明。""当事人一方以原纠纷向人民法院起诉，对方当事人以调解协议抗辩的，应当提供调解协议书。"这些解释可以作为劳动争议仲裁委员会和人民法院处理调解协议争议时的参考。

（三）十五日内未达成调解协议的，当事人可以依法申请仲裁

调解不是解决劳动争议的必经程序，调解的目的是要用一种灵活、简便的机制，尽快解决劳动争议，因此，调解要讲究效率，要及时。及时也是本法的立法原则之一，整个劳动争议处理机制的安排，都体现了这一点。实践中，有的调解员为了尽量促成双方当事人调解解决劳动争议，调解拖的时间比较长，最后问题可能仍得不到解决，有的甚至还影响了当事人申请劳动争议仲裁的时间。为了防止久调不决，有的意见建议法律应当明确规定调解的期限。因此本条规定：自劳动争议调解组织收到调解申请之日起十五日内未达成调解协议的，当事人可以依法申请仲裁。也就是说，调解的期限是十五天，在十五天内未达成协议的视为调解不成，当事人任何一方都可以向劳动争议仲裁委员会申请仲裁。

第十五条　达成调解协议后，一方当事人在协议约定期限内不履行调解协议的，另一方当事人可以依法申请仲裁。

【释义】　本条是关于当事人不履行调解协议，另一方可以申请仲裁的规定。

让尽可能多的劳动争议通过调解解决是本法的一个目标。因此，本法确立了着重调解的原则，并在完善基层调解组织、强化调解的有效性方面作了相应的规定。但是，调解不是强制性的程序，不能希望通过调解解决所有的问题，尤其是近年来，劳资矛盾加剧，劳动争议案件大幅度上升，调解的难度

在加大，有的劳动争议难以通过调解解决。实践中调解虽然发挥了重要的作用，解决了许多劳动争议，而且通过本法的贯彻实施，更多的劳动争议可能经过调解得以解决，但不能希望调解解决所有的劳动争议，有些劳动争议还需要靠仲裁或者诉讼解决。因此，立法需要在调解、仲裁和诉讼之间作出衔接性的规定。本条解决的是调解与仲裁之间如何衔接的问题。根据本法的规定，调解协议对双方当事人有约束力，对于达成调解协议双方都应当自觉履行。但调解协议的效力限于合同效力，不具有直接向人民法院申请强制执行的效力。因此，达成调解协议后，如果一方当事人不履行调解协议，劳动争议并没有得到解决，需要其他的争议解决机制发挥作用。根据本法的规定，仲裁是解决劳动争议的必经程序，如果一方当事人不履行调解协议，另一方当事人就可以依法申请仲裁，以便使劳动争议得以尽快解决。

另外，判断调解协议是否履行需要有一个时间标准，以防止争议的一方利用调解协议来拖延时间。原来草案曾经规定“达成调解协议后，当事人反悔或者在十五日内不履行调解协议的，可以申请仲裁”。后来考虑到调解协议的履行是一个比较复杂的问题，不同的劳动争议，不同的争议双方，对履行期限的要求可以不一样，不宜由法律简单规定一个时间界限，可以由用人单位和劳动者在调解协议中约定履行的期限。因此，本法没有明确调解协议应当在什么时间内履行，当事人双方可以在调解协议中确定履行协议的期限，以此判断对方是否履行调解协议，从而确定申请仲裁的时间。

需要注意，达成调解协议后，一方当事人在协议约定期限内不履行调解协议的，当事人既可以以原劳动争议申请仲裁，也可以以调解协议申请仲裁。参照最高人民法院《关于审理涉及人民调解协议的民事案件的若干规定》的规定，当事人一方以原劳动争议申请仲裁的，对方当事人以调解协议抗辩的，应当提供调解协议书；当事人一方申请仲裁委员会裁决对方当事人履行调解协议，对方当事人反驳的，有责任对反驳所依据的事实提供证据予以证明。当事人一方请求仲裁变更或者撤销调解协议，或者请求确认调解协议无效的，有责任对自己的请求所依据的事实提供证据予以证明。

第十六条　因支付拖欠劳动报酬、工伤医疗费、经济补偿或者赔偿金事项达成调解协议，用人单位在协议约定期限内不履行的，劳动者可以持调解协议书依法向人民法院申请支付令。人民法院应当依法发出支付令。

【释义】　本条是关于劳动者可以向人民法院申请支付令的规定。

（一）关于支付令

支付令是人民法院根据债权人的申请，督促债务人履行债务的程序，是民事诉讼法规定的一种法律制度。在解决劳动争议中引入支付令制度，始于劳动合同法，该法第三十条第二款规定“用人单位拖欠或者未足额支付劳动报酬的，劳动者可以依法向当地人民法院申请支付令，人民法院应当依法发出支付令”。在劳动争议解决中引入支付令制度，主要考虑有两个：一是为了尽快解决劳动争议，保护劳动者的合法权益。现实劳动争议中，大量发生的就是用人单位拖欠劳动报酬，侵犯劳动者的合法权益。像劳动报酬、工伤医疗费、经济补偿或者赔偿金事项，都关系劳动者的切身利益，有的对维持劳动者的生活来说非常急迫，能够迅速解决这些争议，是对劳动者最有力的保护措施，而且这类争议一般也比较简单，标准明确，也达成了调解协议，用人单位与劳动者之间也不存在别的债务纠纷，符合民事诉讼法第一百八十九条关于申请支付令的条件的要求，适于通过支付令的方式解决。二是为了解决调解协议的效力问题，强化调解的作用。调解协议的效力一直是劳动争议调解仲裁立法的一个有分歧的问题，如果规定调解协议有法律效力，可以直接申请人民法院强制执行，与调解的性质不符；如果说调解没有效力，调解制度也就失去意义。所以本法明确调解协议对双方当事人有约束力，这里的“约束力”只能是劳动合同的约束力。劳动者就调解协议向法院申请支付令，用人单位如果提不出抗辩事由的，人民法院就可以强制执行，这样就部分地解决了调解协议的效力问题。另外，2004 年 4 月最高人民法院、司法部《关于进一步加强人民调解工作切实维护社会稳定的意见》规定，当事人持已经生效的人民调解协议向人民法院申请支付令的，只要符合民事诉讼法第十七章规定的条件，人民法院应当支持。可以看出，就调解协议向法院申请支付令，已有制度规定。所以，尽管在立法过程中对要不要引入支付令制度有分歧，最后从支付令制度的积极意义考虑，本法还是肯定了这一制度。

（二）适用支付令的范围

劳动争议的事项很多，为什么只将"拖欠劳动报酬、工伤医疗费、经济补偿或者赔偿金事项达成的调解协议"列入可以申请支付令的范围？原因是这些事项关系劳动者的生存，对于劳动者来说都比较紧急，需要尽快解决；而且这些都是金钱给付事项，人民法院也可以强制执行。本法规定申请支付令的依据是就拖欠劳动报酬、工伤医疗费、经济补偿或者赔偿金事项达成的调解协议。需要注意，根据劳动合同法第三十条第二款的规定，用人单位拖欠或者未足额支付劳动报酬的，劳动者可以依法向当地人民法院申请支付令，不一定需要事先达成调解协议。

（三）申请支付令的程序

本法没有规定申请支付令的程序，只规定"人民法院应当依法发出支付令"，因此，可以理解为劳动者申请支付令应当适用民事诉讼法的有关规定。根据民事诉讼法的规定，申请支付令的程序是：

1. 向人民法院提交申请书。考虑到民事诉讼法第一百八十九条第二款的规定，劳动者向人民法院提交的申请书应当写明请求给付劳动报酬、工伤医疗费、经济补偿或者赔偿金的数额和所根据的事实、证据。由于劳动者申请支付令的前提是达成了调解协议，因此，劳动者一般只需要提供调解协议书就可以。

2. 向有管辖权的基层人民法院申请。申请支付令的管辖法院的确定应当根据民事诉讼法有关管辖的规定。如民事诉讼法第二十四条规定:“因合同纠纷提起的诉讼,由被告住所地或者合同履行地人民法院管辖。”调解协议具有合同的性质,因此,劳动者可以按照这一条确定申请支付令的管辖法院,选择用人单位所在地或者合同履行地基层人民法院管辖。如果两个以上人民法院都有管辖权的,可以根据民事诉讼法第三十五条的规定,劳动者可以向其中一个人民法院申请支付令,劳动者向两个以上有管辖权的法院申请支付令的,由最先受理的人民法院管辖。

3. 受理。民事诉讼法第一百九十条规定:“债权人提出申请后,人民法院应当在五日内通知债权人是否受理。”因此,劳动者提出申请后,人民法院应当在五日内通知劳动者是否受理。一般来说,申请支付令属于本法列举的因支付拖欠劳动报酬、工伤医疗费、经济补偿或者赔偿金事项达成调解协议范围的,法院都应当受理。

4. 审查和决定。民事诉讼法第一百九十一条第一款规定:“人民法院受理申请后,经审查债权人提供的事实、证据,对债权债务关系明确、合法的,应当在受理之日起十五日内向债务人发出支付令;申请不成立的,裁定予以驳回。”在劳动争议中引入支付令制度,就是要简化程序,尽快解决劳动争议,实现劳动者的劳动债权。而且,劳动者申请支付令的依据是他与用人单位达成的调解协议,双方权利义务关系比较明确,因此,法院只要审查调解协议是否合法就可以了,一般只进行书面审查,不需要询问当事人和开庭审查。如果人民法院经过书面审查,认为调解协议合法的,应当在十五日内向用人单位发出支付令；如果调解协议不合法的，就裁定予以驳回。比如，调解协议违反国家法律、法规的强制性规定，属于无效的，就不能发出支付令，应当驳回。

5. 清偿或者提出书面异议。民事诉讼法第一百九十一条第二款规定："债务人应当自收到支付令之日起十五日内清偿债务，或者向人民法院提出书面异议。"因此，支付令发出后，用人单位要么按照支付令的要求向劳动者支付拖欠劳动报酬、工伤医疗费、经济补偿或者赔偿金，要么提出书面异议。由于发出支付令前，法院没有对事实进行全面的审查，也没有要求作为被申请人的答辩，为了被申请人的合法权益，民事诉讼法规定债务人可以提出书面异议，提出抗辩。因此，对于法院发出的支付令，用人单位可以提出书面异议，如果异议成立，法院就会裁定终结督促程序，支付令自行失效。

6. 申请执行。如果用人单位既不提出异议，又不履行支付令，该怎么办？民事诉讼法第一百九十一条第三款规定："债务人在前款规定的期间不提出异议又不履行支付令的，债权人可以向人民法院申请执行。"因此，用人单位在收到人民法院发出的支付令之日起十五日内不提出书面异议，又不履行支付令的，劳动者可以向人民法院申请执行，人民法院应当按照民事诉讼法规定的执行程序强制执行。

（四）支付令失效后的处理

本法没有对支付令失效后如何处理作出明确规定。根据民事诉讼法第一百九十二条的规定，人民法院收到债务人提出的书面异议后，应当裁定终结督促程序，支付令自行失效，债权人可以起诉。本法维持了现行劳动争议处理体制中的仲裁前置制度,也就是说仲裁是劳动争议的必经程序。但是,如果按照民事诉讼法一百九十二条的规定,支付令失效后,劳动者可以向法院起诉,这就绕过了仲裁程序,与本法关于仲裁前置的制度不一致。因此,为了解决这一矛盾,草案曾经规定"人民法院收到用人单位提出的书面异议后,支付令自行失效,劳动者可以依法申请仲裁",意在解决支付令失效后的劳动争议该怎么办的程序问题。但是,草案的这一规定遭到许多意见的反对,认为规定支付令的本意是为了通过人民法院的督促程序,快速解决劳动争议,解决现实的劳动争议处理周期过长的问题,如果支付令失效后,劳动者回过头再向劳动仲裁委员会申请仲裁,程序更加复杂,反而延长了处理劳动争议的周期,提高了解决劳动争议的成本,不利于及时解决劳动争议,尤其是实践中支付令制度很容易因对方提出异议而失效,这样规定,实际不利于保护劳动者的合法权益。因此,本法删去了草案中"支付令自行失效,劳动者可以依法申请仲裁"的规定,只规定人民法院应当依法发出支付令。那么,人民法院发出支付令,如果用人单位提出异议,支付令失效后,依照民事诉讼法的规定,劳动者可以直接向法院提出诉讼。当然,支付令失效后,劳动者也可以向劳动争议仲裁委员会申请仲裁。这样,就给了劳动者一个选择权,如果劳动者向法院申请支付令,当支付令失效后,劳动者选择向法院提起诉讼,那么也就放弃了劳动仲裁的救济方式。

申请支付令是劳动者在与用人单位达成调解协议的前提

下进行的,经过双方同意,用人单位一般难以对支付令涉及的事项提出异议。这样,支付令制度就起到了及时解决劳动争议,保护劳动者合法权益的目的。

第三章 仲　　裁

第一节 一般规定

第十七条 劳动争议仲裁委员会按照统筹规划、合理布局和适应实际需要的原则设立。省、自治区人民政府可以决定在市、县设立；直辖市人民政府可以决定在区、县设立。直辖市、设区的市也可以设立一个或者若干个劳动争议仲裁委员会。劳动争议仲裁委员会不按行政区划层层设立。

【释义】 本条对劳动争议仲裁委员会的设立作了规定。

（一）劳动争议仲裁委员会的概念

劳动争议仲裁委员会是指依法设立，由法律授权依法独立对劳动争议案件进行仲裁的专门机构。劳动争议仲裁委员会是由省级人民政府依照本法的有关规定决定设立的，其设立和组成决定了其是由法律授权、代表国家行使仲裁权的国家仲裁机构的性质。

仲裁，也称公断，其基本含义是由一个公正的第三者对当事人之间的争议作出评断。仲裁不同于调解，仲裁属于一种法律行为，调解只是中间人的劝告和建议。劳动争议仲裁是指由法律授权的专门仲裁机构，应劳动争议一方当事人的申请，依法对当事人双方的劳动争议依法进行审理，并做出具有法律效力的裁决，使争议得以解决的争端处理方式。具体而言，即由劳动争议仲裁委员会对用人单位和劳动者之间发生的劳动争议，在查明事实、明确是非、分清责任的基础上，依法作出裁决的活动。劳动争议仲裁是一种准司法的仲裁制度，其对劳动争议的处理结果具有法律效力；劳动争议仲裁是劳动争议处理的必经程序，当事人对仲裁裁决不服的，可以依法向人民法院提出诉讼；但对于其中一部分争议金额较小的或者违法事实简单的劳动争议，依照本法的规定，劳动者对仲裁裁决无异议的，该仲裁裁决为终局裁决；当事人对发生法律效力的调解书和裁决书应当依照法律规定的期限履行，一方当事人逾期不履行的，另一方当事人可以申请人民法院强制执行。

（二）劳动争议仲裁委员会的设立

我国1994年劳动法只对劳动争议仲裁委员会的人员组成作了规定，未对劳动争议仲裁委员会的设立作出规定。1993年的《企业劳动争议处理条例》规定了县、市、市辖区应当设立劳动争议仲裁委员会，没有明确是否设立省级劳动争议仲裁委员会。

本法在立法过程中，坚持了一个明确的立法指导思想，即劳动争议仲裁委员会不按行政区划层层设立，劳动争议仲裁实行"一裁制"，因而没有级别管辖。在劳动争议仲裁委员会的设立上，立法的本意也是要将劳动争议仲裁机构下沉，平铺设立，不搞层级区别。本条对劳动争议仲裁委员会设立的规定主要有以下两层意思：

1. 劳动争议仲裁委员会设立原则

依据本条的规定，劳动争议仲裁委员会应当按照统筹规划、合理布局和适应实际需要的原则设立，不按行政区域层层设立。即劳动争议仲裁委员会的设立应根据本地劳动争议处理工作的实际需要，统筹规划劳动争议仲裁委员会的数目，进行合理布局，不按行政区划层层设立。劳动争议仲裁委员会的设立应本着精简、效率的原则，要有利于方便劳动者仲裁，有利于化解劳动纠纷于基层、及时处理劳动争议。

在设立劳动争议仲裁委员会的过程中，一定要从当地的实际情况出发，根据当地实际需要与可能进行设立工作。我国幅员广阔，经济发展不平衡，东部、南部省市经济比较发达，劳动争议相对较多，争议当事人相对集中。而在广大中西部地区，劳动争议相对较少。这就要求在劳动争议仲裁委员会的设立上，允许各省级人民政府根据本地区劳动争议处理工作的实际需要，统筹安排、合理布局本辖区内的劳动争议仲裁委员会。对于劳动争议比较多的地区可以相应多设，而对于劳动争议较少的地区，则可以少设。劳动争议仲裁委员会的设立既要避免全国各地不考虑实际需要，按行政区划都设立，又要防止没有劳动争议仲裁委员会管辖覆盖的情况出现。

在本法的立法过程中，一些地方的劳动和社会保障部门、人事部门等提出，目前全国各地方已普遍形成省、市、县三级劳动争议仲裁委员会的格局，省级劳动争议仲裁委员会承担着地方劳动争议处理工作的管理和业务指导职能。草案关于劳动争议仲裁委员会应当按照统筹规划、合理布局和适应实际需要的原则设立，不按行政区域层层设立的规定，将使各地方人民政府对现状进行较大变动，不利于稳定劳动争议仲裁员队伍和推进劳动争议仲裁工作，难以应对随着劳动合同法实施劳动争议案件较大增长的局面，建议删去“劳动争议仲裁委员会不按行政区划层层设立”的限制性规定。全国人大法律委员会经研究认为，劳动争议仲裁委员会的设立应当体现精简、效率的原则，应当有利于方便劳动者参加仲裁，有利于化解劳动纠纷于基层，有利于及时处理劳动争议。而省、市、县三级层层设立劳动争议仲裁委员会，强调级别管辖，不符合上述精神。全国人大常委会接受了法律委员会的上述意见，在本法中明确规定了劳动争议仲裁委员会的设立原则。

2. 劳动争议仲裁委员会如何设立

依据本条的规定，劳动争议仲裁委员会的设立主要注意以下几个问题：

(1)省、自治区人民政府可以决定在市、县设立。即省、自治区人民政府可以依据本法的规定，决定在本行政区域内的各市、县设立劳动争议仲裁委员会。这里的“市”包括设区的市和不设区的市。根据设立劳动争议仲裁委员会的原则，省级政府决定在市设立了劳动争议仲裁委员会后，就可以考虑不必在每个县都设立。我国有3000个县，200多个市，劳动争议仲裁委员会如果主要集中在市，仲裁机构的数量将大大精简。本条还规定，设区的市可以不分别在每个市辖区和县都设立，而是在整个市的范围内设立一个或者若干个劳动争议仲裁委员会。

（2）直辖市人民政府可以决定在区、县设立。即北京、天津、上海和重庆四个直辖市的人民政府，可以决定在其所辖的区和县分别设立劳动争议仲裁委员会，也可以不分别在每个区和县设立，而是在整个市的范围内设立一个劳动争议仲裁委员会，或者将全市划分为若干个辖区，分别设立若干个劳动争议仲裁委员会。

（3）省级人民政府可以决定在各个县、市辖区和不设区的市平铺设立劳动争议仲裁委员会，也可以决定在设区的市设立一个劳动争议仲裁委员会，或者不按市辖区、县设立若干个劳动争议仲裁委员会。总之，各个劳动争议仲裁委员会相互独立，辖区相互不重叠，但辖区总和要覆盖全部行政区划。

与1993年的《企业劳动争议处理条例》相对照，本法并未强制规定省级人民政府应当在哪个行政区划设立劳动争议仲裁委员会，反而进一步强调不得按照行政区划层层设立。并且依照本条的规定，目前的省级劳动争议仲裁委员会应当相应撤销，其原有的对本省区域内的劳动争议仲裁工作进行业务指导的职能相应由本法明确赋予省级政府劳动行政部门承担。直辖市人民政府如果决定全市范围内只设立一个劳动争议仲裁委员会，其辖区覆盖全市范围也是可行的。但该劳动争议仲裁委员会已经不是原先意义上的省级劳动争议仲裁委员会，没有了实行级别管辖的需要。

第十八条　国务院劳动行政部门依照本法有关规定制定

仲裁规则。省、自治区、直辖市人民政府劳动行政部门对本行政区域的劳动争议仲裁工作进行指导。

【释义】　本条是关于国务院劳动行政部门和省、自治区、直辖市人民政府劳动行政部门的职责的规定。

(一)劳动争议仲裁的仲裁规则的制定

1.劳动争议仲裁的仲裁规则

劳动争议仲裁的仲裁规则不同于民商事仲裁的仲裁规则,劳动争议仲裁的仲裁规则的制定也不同于一般民商事仲裁的仲裁规则的制定。

民商事仲裁的仲裁规则,是指民商事仲裁进行的具体程序及此程序中相应的仲裁法律关系的规则。民商事仲裁的仲裁规则可以由仲裁机构制定,也可以由当事人自行拟定。但是,仲裁规则不得违反法律中对仲裁程序方面的强制性规定。世界上绝大多数的民商事仲裁机构都备有自己的仲裁规则,并在规则中规定,凡当事人同意将其争议提交本仲裁机构仲裁的,均视为同意按本机构的仲裁规则进行仲裁。也有少数仲裁机构允许当事人另外选定仲裁规则。一般来讲,仲裁规则是仲裁机构事先制定好的或者由当事人在具体仲裁活动开始前约定或者选定的。

劳动争议仲裁的仲裁规则,是指劳动争议仲裁进行的具体程序及此程序中相应的劳动争议仲裁法律关系的规则。劳动争议仲裁的仲裁规则不是由劳动争议仲裁委员会自行制定或者当事人另外选定,而是由本法直接授权国务院劳动行政部门依照本法的有关规定制定,并且不得违反法律中对劳动争议仲裁程序方面的强制性规定。劳动争议仲裁的仲裁规则为具体的劳动争议仲裁活动提供了行为规则，直接影响着劳动争议仲裁活动的顺利进行，任何不遵守仲裁规则的情势，均会影响仲裁裁决的效力。

目前，劳动保障行政部门已经会同有关部门制定了劳动争议仲裁委员会组织规则和劳动争议仲裁委员会办案规则，这两个规则中的内容如果与本法和民事诉讼法等有关法律、法规不相违背，新的劳动争议仲裁委员会的仲裁规则也可以将上述规则包括在内。

2. 制定劳动争议仲裁的仲裁规则的依据

本条明确要求国务院劳动行政部门依照本法制定劳动争议仲裁的仲裁规则。同时，劳动争议仲裁规则也不得与现行劳动法、民事诉讼法等有关法律、法规相冲突。

3. 劳动争议仲裁的仲裁规则内容

劳动争议仲裁的仲裁规则的基本内容是规定当事人和劳动争议仲裁委员会在仲裁程序进行过程中的权利义务，以及行使和履行这些权利义务的方式。主要内容应包括：仲裁管辖、仲裁组织、仲裁申请和答辩、反请求程序、仲裁庭组成程序、审理程序、裁决程序，以及在相应程序中劳动争议仲裁委员会、仲裁员、当事人和其他劳动争议仲裁参加人的相关权利义务，等等。

4. 劳动争议仲裁的仲裁规则的作用

劳动争议仲裁的仲裁规则是进行劳动争议仲裁活动时必须遵循和适用的程序规范，具有以下作用：第一，为当事人提供一套科学、系统而又方便的用仲裁方法解决劳动争议的程序。第二,为仲裁机构进行仲裁活动提供适用的程序规则。第三,为当事人和仲裁机构提供了程序上的权利义务规范,当事人和仲裁机构应严格遵守,以便通过此种权利义务的实现而保证当事人实体权利义务关系的确立。第四,为对仲裁的支持和监督提供了参照依据。

(二)省级人民政府劳动行政部门对本行政区域的劳动争议仲裁工作进行指导

目前各地方普遍设立了省级劳动争议仲裁委员会,该机构除了基于级别管辖的需要对一小部分劳动争议案件进行仲裁外,还承担着地方劳动争议处理工作的业务指导职能。依据本法第十七条劳动争议仲裁委员会的设立的有关规定,本法施行后,省一级的劳动争议仲裁委员会基本都要进行调整。为了保持劳动争议仲裁工作的延续性并进一步加强劳动争议仲裁工作,本条明确规定省级劳动行政部门对本行政区域的劳动争议仲裁工作进行指导。

在本法的立法过程中,有些专家提出,我国目前的劳动争议仲裁委员会虽然是三方组成,但是由于劳动争议仲裁委员会主任由劳动行政部门负责人担任,具体负责办理仲裁委员会日常事务的办事机构也是设在劳动行政部门。实际运行过程中,形成了劳动行政部门一家办案的局面,劳动争议仲裁裁决变成了行政裁决,不能完全体现仲裁的社会性和独立性,这是造成劳动争议仲裁公信力差的一个因素。本法在立法的过程中也充分考虑到上述意见,并在劳动争议仲裁委员会的组成和职责的规定上保持和加强其社会性和独立性。劳资纠纷不同于一般的民商事纠纷,它关系到国家的稳定与发展,不可能交由一个完全民间的、社会性的组织去处理。政府应当在解决劳动争议、维持劳动关系的和谐稳定中起主导作用,及时化解劳资纠纷,以保障经济和社会的持续、健康发展。作为政府代表的劳动行政部门主管全国的劳动和社会保障事务,在处理劳资纠纷中同样负有不可推卸的责任。劳动争议仲裁是劳动争议处理的一种主要方式,因此,本法肯定了劳动争议仲裁要体现政府主导的作用。这也是本条的立法指导思想。

第十九条　劳动争议仲裁委员会由劳动行政部门代表、工会代表和企业方面代表组成。劳动争议仲裁委员会组成人员应当是单数。

劳动争议仲裁委员会依法履行下列职责:

(一)聘任、解聘专职或者兼职仲裁员;

(二)受理劳动争议案件;

(三)讨论重大或者疑难的劳动争议案件;

(四)对仲裁活动进行监督。

劳动争议仲裁委员会下设办事机构,负责办理劳动争议仲裁委员会的日常工作。

【释义】　本条是关于劳动争议仲裁委员会的组成、职责和办事机构的规定。

(一)劳动争议仲裁委员会的组成

本条第一款明确规定了劳动争议仲裁委员会由三方代表

组成。我国1994年劳动法第八十一条明确规定了劳动争议仲裁委员会由劳动行政部门代表、同级工会代表、用人单位方面的代表组成。本法在劳动法的基础上,进一步规定了劳动争议仲裁委员会由劳动行政部门代表、工会代表和企业方面代表组成。劳动争议仲裁委员会的组成体现了劳动关系的三方原则。所谓劳动关系三方原则是指政府(通常以劳动行政部门为代表)、雇主组织和工会组织通过一定的协作机制共同处理涉及劳动关系的重要问题的原则。随着我国社会主义市场经济的发展,劳动关系发生了深刻的变化,国家、企业、劳动者三方利益格局日益明晰。我国也通过立法逐步建立起劳动关系三方协调机制,共同研究解决劳动关系方面的重大问题。而作为处理劳动争议的专门机构的劳动争议仲裁委员会,为了体现公平、公正,在人员组成方面也对国家、企业、劳动者三方利益进行平衡。因此从劳动法到本法,都规定了劳动争议仲裁委员会由三方组成。

1. 劳动行政部门代表。在我国,劳动行政部门代表政府主管全国的劳动和社会保障事务。为了维持劳动关系的和谐稳定,保障经济和社会的持续、健康发展,作为主管的劳动行政部门需要把握劳资关系的全局,协调各方面利益。因此本法明确其作为劳动争议仲裁委员会的一方代表,体现了政府在劳资纠纷处理中的主导作用。

2. 工会代表。工会的性质和任务决定了它更了解企业、职工的情况,熟悉劳动法律、法规、规章、政策,能够代表全体职工的根本利益。工会代表作为工会一方的代表,代表了广大职工的利益，工会的参与有利于保护弱势一方劳动者的合法权益。

3.企业方面代表。即雇主代表组织，在我国主要是指各种形式的企业联合组织，其中主要有中国企业联合会，但在有些地方则可能是各种形式的商会或者其他企业联合组织，如深圳的外商投资商会等。企业方面代表参与，有利于对相关法律、法规的充分理解和对当事人的说服、调解。

劳动争议仲裁委员会由三方组成的好处是可以在争议处理时听取多方面的意见，并获得多方面的协调与支持，这对处理重大疑难案件尤为重要。当然，也有其不利的一面。从国外看，除了三方性仲裁机构外，许多国家（如英国、菲律宾、澳大利亚等）以个人仲裁员形式为主。这种形式程序简单、办案及时。另外，一些国家（如日本、韩国等）还有完全由中立人士（即公益代表）组成仲裁委员会的成功经验。

鉴于劳动争议仲裁委员会由三方代表组成，三方代表权利义务相同。仲裁委员会做决定时应当按照少数服从多数的原则进行，故劳动争议仲裁委员会的组成人数必须是单数。

（二）劳动争议仲裁委员会的职责

劳动争议仲裁委员会的基本职责就是处理本辖区内的劳动争议案件，其裁决劳动争议案件实行仲裁庭制，由仲裁员独立仲裁。依据本条第二款的规定，劳动争议仲裁委员会主要还有以下几方面的具体职责：

1.聘任、解聘专职或者兼职仲裁员

根据本法的有关规定，劳动争议仲裁委员会可以聘任符合法定条件的曾任审判员的人员、专家学者,劳动行政部门、人事行政部门或者其他有关行政部门的人员、工会工作者、律师等为兼职或者专职仲裁员。是劳动争议仲裁委员会的工作人员,又被聘为仲裁员的,为专职仲裁员。在其他部门或者单位工作,且被聘为仲裁员的,为兼职仲裁员,负责具体劳动争议的仲裁。

目前,仲裁员资格由省级人民政府考核认定。取得仲裁员资格的人员可以在一个劳动争议仲裁委员会担任专职或者兼职仲裁员。专职仲裁员由劳动争议仲裁委员会从劳动行政部门从事劳动争议处理工作的人员中聘任,兼职仲裁员由劳动争议仲裁委员会从劳动行政部门、人事行政部门或者其他行政部门的人员、曾任审判员的人员、工会工作者、专家、学者和律师等人员中聘任。仲裁员必须符合本法第二十条的条件要求。兼职仲裁员和专职仲裁员在执行仲裁事务时享有同等的权利。兼职仲裁员在进行仲裁活动时,应征得其所在单位同意,所在单位应当给予支持。

这些专职或者兼职的仲裁员也是劳动争议仲裁委组织机构的组成部分。仲裁员与仲裁委员会的组成人员不同,仲裁委员会成员是依法行使仲裁委员会这一权力机构职权的人员,而专职或者兼职仲裁员是由仲裁委员会聘任的,根据仲裁委员会的指令负责具体的劳动争议的审理工作。

劳动争议仲裁委员会办事机构的工作人员及劳动争议仲裁委员会聘任的专职或者兼职仲裁员的人数,由劳动争议仲裁委员会根据实际情况确定。

劳动争议仲裁委员会依法聘请仲裁员后，还应对其实施管理和监督。依据本法的规定，仲裁员有下列情形之一，劳动争议仲裁委员会应当将其解聘：(1)劳动争议仲裁委员会发现其所聘任的仲裁员不符合本法第二十条规定的条件的；(2)仲裁员私自会见当事人、代理人，或者接受当事人、代理人请客送礼的；(3)仲裁员有索贿受贿、徇私舞弊、枉法裁决行为的。

2. 受理劳动争议案件

根据本法的规定，劳动争议仲裁委员会是依法对劳动争议进行仲裁的专门机构。因此，劳动争议仲裁委员会的一个法定职责是必须依法受理劳动争议案件，这包括受理劳动争议当事人直接请求仲裁的争议，也包括虽经调解，但调解不成或者调解后当事人反悔而请求仲裁的争议。受理劳动争议案件不是任意的，而要依照本法有关规定进行必要的审查，看是否存在劳动争议，争议双方是否具备主体资格，争议是否属于仲裁管辖范围，争议是否已过仲裁时效期间等。本法还明确规定，劳动争议仲裁委员会收到仲裁申请之日起五个工作日内，认为符合受理条件的，应当受理，并通知申请人；认为不符合受理条件的，应当书面通知申请人不予受理，并说明理由。对劳动争议仲裁委员会不予受理或者逾期未作出受理或者不予受理决定的，申请人可以就该劳动争议事项向人民法院提起民事诉讼。

当然，劳动争议仲裁委员会下设的办事机构，可以根据劳动争议仲裁委员会的授权，负责具体承办劳动争议案件的受理工作。

3. 讨论重大或者疑难的劳动争议案件

劳动争议仲裁委员会属于一个集体领导组织机构，在劳动争议仲裁工作中也应适当发挥民主集中制，集中集体智慧。因此，本法在强化仲裁庭职责的同时，规定了劳动争议仲裁委员会的一项重要职责就是讨论仲裁庭提交的少数重大、疑难案件的处理问题。这样做，有利于总结仲裁审理的经验，解决仲裁实践中出现的问题；有利于充分发挥劳动争议仲裁委员会处理重大、疑难案件的作用，从而在避免错案的发生、提高办案质量、化解群体性纠纷等方面起到积极作用。对于一些重大、复杂、敏感的群体性劳资纠纷，由劳动争议仲裁委员会出面集体讨论，更容易发挥劳动关系三方原则的作用，从而促进劳资双方增进了解，尽快达成和解协议。

所谓重大案件，是指案情复杂、涉及范围广、争议标的金额较大，案发后案件处理结果的影响较大的案件。所谓疑难案件，是指案件的处理依据不明确，法律适用问题存在争议的案件。这一类案件由劳动争议仲裁委员会讨论比较适宜。

4. 对仲裁活动进行监督

劳动争议仲裁委员会是依法设立的三方性组织，是法律授权处理劳动争议的专门机构。仲裁庭是劳动争议仲裁委员会办案的一种组织方式，是依劳动争议仲裁委员会的授权、并由仲裁员对案件进行裁决的临时性组织。而仲裁员又是劳动争议仲裁委员会依法聘任的。办事机构是劳动争议仲裁委员会设立的办理日常事务的机构。因此，劳动争议仲裁委员会与仲裁庭、仲裁员、办事机构存在着一种授权者与执行者的委托、指导和监督的关系。但这并不是说，劳动争议仲裁委员会要过问和领导每个具体案件的处理，那样会使仲裁庭和仲裁员制度丧失存在的意义。本法明确规定对于重大或者疑难的劳动争议案件，仲裁庭可以提交劳动争议仲裁委员会讨论，集思广益。但劳动争议仲裁委员会不能代替仲裁庭直接作出仲裁裁决。因此，劳动争议仲裁委员会对仲裁庭办案的具体领导，主要是对大案要案的集体讨论，就一般案件而言，仲裁庭有独立的决定权，仲裁委员会，尤其是劳动争议仲裁委员会的个别成员，不能随意干预仲裁庭和仲裁员依法进行审理和裁决。

我国对民商事仲裁活动和仲裁裁决的监督，除人民法院在执行程序上予以制约外，主要实行仲裁系统内部监督制度。仲裁的内部监督，即仲裁委员会主任如发现本委员会已经生效的裁决确有错误，需要复议的，应提请委员会讨论决定，仲裁委员会正副主任有权决定是否复议。仲裁委员会对决定重新审理的争议案件，应制作终止原裁决执行的仲裁决定，并由主任署名、委员盖章。原裁决宣布无效后，应自宣布之日起一定期限内另行组成仲裁庭，对争议案件重新依法进行处理。劳动争议仲裁委员会在对劳动争议仲裁活动进行监督的过程中，也应当建立起仲裁系统内部监督这种制度。

（三）劳动争议仲裁委员会的办事机构

劳动争议仲裁委员会下设的办事机构也是劳动争议仲裁机构的有机组成部分，负责办理劳动争议仲裁委员会的日常事务。劳动争议仲裁委员会虽然为常设机构,但其人员以兼职为主,不是常年集中固定办公,故需要设立一个专门的办事机构,为劳动争议仲裁委员会这一权力机构服务,负责日常接待、受理案件、准备仲裁的工作。

目前我国各劳动争议仲裁委员会的办事机构设在劳动行政部门内,因而具有双重身份,既是劳动争议仲裁委员会的办事机构,又是劳动行政部门的职能部门。除了负责处理劳动争议仲裁委员会的日常事务,如受理劳动争议案件外,也担任着劳动法律、法规的研究,法律、法规、规章、政策的咨询、调研,执法监督和法制宣传等工作。实践中,这一设置,一方面可以充分利用劳动行政部门的工作人员熟悉劳动法律、法规、规章及政策的优势,提高办案效率,有利于劳动行政部门对劳资纠纷的宏观把握,进而根据劳动关系的运行态势进行决策。另一方面也容易造成行政执法与劳动仲裁的准司法职能的混淆,影响程序公正的实现。在实际运行过程中,有些地方形成了劳动行政部门一家办案的局面,劳动争议仲裁裁决变成了行政裁决,不能完全体现仲裁的社会性、独立性和公正性,降低了劳动争议仲裁的公信力。

近几年,广东、浙江等省开始试点设立劳动仲裁院以改变办事机构双重身份的改革。此种情况下,劳动仲裁院成为劳动争议处理的专门机构,不再是劳动行政部门的一个职能部门。

本法规定,劳动争议仲裁委员会下设办事机构,负责办理劳动争议仲裁委员会的日常工作。法律没有明确规定这一办事机构是否必须设在劳动行政部门内部，就是考虑到各地劳动仲裁工作的延续性，对于劳动争议比较多且已经正在改革尝试的地方，本法关于劳动争议仲裁委员会的设立和办事机构的规定，不会给它们造成法律上的障碍。

根据目前的劳动争议仲裁委员会组织规则的规定，劳动争议仲裁委员会办事机构的主要职责是：(1)承办处理劳动争议案件的日常工作；(2)根据劳动争议仲裁委员会的授权，负责管理仲裁员，组织仲裁庭；(3)管理仲裁委员会的文书；(4)负责劳动争议及其处理方面的法律、法规及政策咨询；(5)向劳动争议仲裁委员会汇报、请示工作；(6)办理劳动争议仲裁委员会授权或交办的其他事项。

第二十条　劳动争议仲裁委员会应当设仲裁员名册。

仲裁员应当公道正派并符合下列条件之一：

（一）曾任审判员的；

（二）从事法律研究、教学工作并具有中级以上职称的；

（三）具有法律知识、从事人力资源管理或者工会等专业工作满五年的；

（四）律师执业满三年的。

【释义】　本条是关于劳动争议仲裁员名册和仲裁员任职条件的规定。

劳动争议仲裁的仲裁员是指由劳动争议仲裁委员会依法聘任后，专门从事劳动争议裁决工作的人员，包括兼职仲裁员和专职仲裁员。目前，仲裁员资格由省级人民政府考核认定，取得仲裁员资格方可在劳动争议仲裁委员会担任专职或者兼职仲裁员。专职仲裁员由劳动争议仲裁委员会从劳动争议仲裁委员会专门从事劳动争议处理工作的人员中聘任。兼职仲裁员由劳动争议仲裁委员从劳动行政部门、人事行政部门或者其他行政部门的人员，曾任审判员的人员，工会工作者，专家，学者和律师中聘任。仲裁员的主要职责是：(1)接受劳动争议仲裁委员会交办的劳动争议案件，参加仲裁庭；(2)进行调查取证，有权向当事人及有关单位、人员进行调阅文件、档案，询问证人，现场勘察，技术鉴定等与争议事实有关的调查；(3)根据国家有关法律、法规、规章、政策提出处理方案；(4)对争议当事人双方进行调解工作，促使当事人达成和解协议；(5)审查申请人的撤诉请求。

(一)仲裁员名册

本条第一款规定了劳动争议仲裁委员会应当设仲裁员名册。为了方便当事人选择仲裁员，劳动争议仲裁委员会应当将聘任的专职和兼职仲裁员制作名册。劳动争议仲裁委员会可以按照劳动、人事、工会等不同专业方向制作仲裁员名册。仲裁员由劳动争议仲裁委员会聘任，劳动争议仲裁委员会应当从符合仲裁员条件的人员中聘任仲裁员，并将聘任的仲裁员按照不同专业设置仲裁员名册。一般来说选任仲裁员是当事人的权利，仲裁员由当事人各自选定或者共同选定，或者各自委托或共同委托劳动争议仲裁委员会主任来指定。但是，根据目前的实际情况，本法没有规定由当事人选择仲裁员。当事人是否可以选择，可以由仲裁规则规定。

（二）劳动争议仲裁员的任职条件

本条第二款规定了劳动争议仲裁员的任职条件，主要包括道德素养和业务素质两方面。

1. 仲裁员的道德素养

根据本款的规定，仲裁员应该公道正派。一般而言，法律规范一般不会对道德规范加以规定。但是对于劳动争议仲裁，仲裁员只有做到作风公道、正派、严谨、不偏不倚，才能保证仲裁裁决的质量。这是维护仲裁公信力的前提，也是人民法院据以确定仲裁裁决是否公正的前提。因此本法对仲裁员道德素养提出明确要求。

仲裁员还应坚持原则、秉公执法、作风正派、勤政廉洁，拥护党的路线、方针、政策。

2. 仲裁员的业务素质

（1）曾任审判员的。人民法院的审判员，长期接触各种权益纠纷案件，具有专业的法律知识和十分丰富的处理纠纷的经验，由其担任劳动争议仲裁的仲裁员对解决劳动争议纠纷是有效的。且能够获得审判员资格的人，其法律专业素质和审理纠纷的经验已经达到较高的水平，对于其担任劳动争议仲裁员，本法不再提出对其任职年限的要求。只要求其曾经担任过人民法院的审判员即可。但是，需要强调的是，人民法院具有监督仲裁工作的职能，因此人民法院的现职审判员不能担任仲裁员，现职审判员要想被聘任只有辞去现职才成。这一规定的本意是鼓励我国各级人民法院曾任过审判员的退休人员广泛地参与到劳动争议仲裁工作，从而充实基层仲裁员的队伍，同时可以切实提高仲裁员队伍的业务素质。

（2）从事法律研究、教学工作并具有中级以上职称的。从事法律、研究和教学工作，又有助理研究员、讲师以上职称的专家和学者，具有丰富、扎实的理论功底，完全可以胜任劳动争议仲裁的工作，根据本法的规定，这一部分人员即具有仲裁员资格。聘任其担任仲裁员，可以充分发挥其理论和专业优势，去解决实践中大量复杂的劳动争议所反映出来的社会问题，可以充分地体现仲裁优于诉讼的灵活性。

（3）具有法律知识、从事人力资源管理或者工会等专业工作满五年的。具有一定法律知识，在劳动行政管理部门、人事行政管理部门、工会或者企业联合会等机构工作满五年的人员，可以聘任为劳动争议仲裁员。曾经长期从事劳动争议处理工作或者从事相关工作的，如劳动人事等人力资源管理、工会维权或者企联工作的人员，具有一定的法律、劳动业务知识及分析、解决问题和独立办案的工作能力，具有丰富的处理劳动纠纷的实践经验，只要符合本法的有关规定，也可以充实到仲裁员队伍中来。

（4）律师执业满三年的。从事律师工作，执业满三年的，可以被聘任为劳动争议仲裁的仲裁员。律师是国家的法律工作者，不仅具有丰富、广博的法律专业知识，而且具有敏捷的思辨能力和灵活解决具体案件的实践能力。律师担任仲裁员时和其他仲裁员一样，在具体案件中不是当事人的代理人，而是独立公正的案件裁决者。律师担任仲裁员，可以弥补仲裁庭其他人员法律专业知识的不足，其职业特点又能保证其有担任仲裁员的时间和精力。随着我国律师队伍的不断扩大，由律师担任仲裁员，可以逐步壮大仲裁员队伍。对律师执业年限的限制，是为了保证仲裁员队伍的业务水平。

第二十一条　劳动争议仲裁委员会负责管辖本区域内发生的劳动争议。

劳动争议由劳动合同履行地或者用人单位所在地的劳动争议仲裁委员会管辖。双方当事人分别向劳动合同履行地和用人单位所在地的劳动争议仲裁委员会申请仲裁的，由劳动合同履行地的劳动争议仲裁委员会管辖。

【释义】　本条是关于劳动争议仲裁管辖的规定。

劳动争议仲裁管辖，是指确定各个劳动争议仲裁委员会审理劳动争议案件的分工和权限，明确当事人应当到哪一个劳动争议仲裁委员会申请劳动争议仲裁，由哪一个劳动争议仲裁委员会受理的法律制度。劳动争议仲裁管辖应当根据方便劳动争议当事人仲裁，方便劳动争议仲裁委员会审理案件的原则确定。所谓方便当事人，是指保护当事人的权利是本法的重要目标，当事人权利行使的便利性同样是本法立法所要遵循的准则，因此，劳动争议仲裁管辖的确定应以为当事人申请仲裁和应诉提供极大的便利、减轻当事人的维权成本为原则。所谓方便劳动争议仲裁委员会审理案件，一方面要求根据各地劳动争议的实际情况及劳动争议仲裁委员会的总体布局合理地确定各个劳动争议仲裁委员会的管辖范围，为劳动争议仲裁委员会办理案件提供便利；另一方面则要求管辖制度应有利于保证劳动争议仲裁权的公正行使，在确定劳动争议仲裁管辖的过程中，尽管直接解决的是劳动争议仲裁权的归属问题，但更为重要的是要保证仲裁权公正有效运行。

根据本法的规定，劳动争议仲裁委员会按照统筹规划、合理布局和适应实际需要的原则设立。省、自治区人民政府可以决定在市、县设立；直辖市人民政府可以决定在区、县设立。直辖市、设区的市也可以设立一个或者若干个劳动争议仲裁委员会。劳动争议仲裁委员会不按行政区划层层设立。

从劳动争议仲裁委员会的设立可以看出，劳动争议的管辖区域与各级行政区划不完全一致。有时，一个劳动争议仲裁委员会可能同时管辖好几个市辖区，有时一个劳动争议仲裁委员会可能只管辖一个县或者市辖区内的劳动争议案件。这就需要省级人民政府在依法设立劳动争议仲裁委员会的时候，必须同时划定该劳动争议仲裁委员会的管辖区域。

在这一前提下，本条第一款明确规定，劳动争议仲裁委员会负责管辖本区域内发生的劳动争议。如何确定一个劳动争议是否发生在本劳动仲裁委员会管辖区域范围内？根据本条第二款的规定，劳动争议由劳动合同履行地或者用人单位所在地的劳动争议仲裁委员会管辖。这就是说，只要发生争议的当事人一方的用人单位所在地或者发生争议的当事人之间的劳动合同的履行地是在一个劳动争议仲裁委员会的管辖范围内，则该劳动争议仲裁委员会为有管辖权的劳动争议仲裁委员会。发生劳动争议的当事人必须到有管辖权的劳动争议仲裁委员会去申请仲裁。这里的用人单位所在地一般是指用人单位的注册地,用人单位的注册地与经常营业地不一致的,用人单位所在地指用人单位经常营业地。实践中,大多数情况下,劳动合同的履行地即为用人单位所在地,二者是重合的。选择劳动合同履行或者用人单位所在的劳动争议仲裁委员会进行劳动争议仲裁,既方便劳动者和用人单位参加仲裁活动,又方便劳动争议仲裁委员会对仲裁案件的审理活动;且一旦仲裁裁决发生法律效力,当事人向人民法院申请强制执行时,还便于人民法院进行强制执行。因此,本法选取了劳动合同履行地和用人单位所在地作为确定劳动争议仲裁管辖的联结点,以此确定哪一个劳动争议仲裁委员会有权对劳动争议案件进行管辖。

本法第二款还进一步规定,发生劳动争议的双方当事人分别向劳动合同履行地和用人单位所在地的劳动争议仲裁委员会申请仲裁的,由劳动合同合同履行地的劳动争议仲裁委员会管辖。这主要是为了解决当事人就劳动争议仲裁委员会的管辖权发生争议时,如何确定劳动争议仲裁管辖的问题。根据本条的规定,发生劳动争议的劳动者和用人单位分别向劳动合同履行地或者用人单位所在地的劳动争议仲裁委员会申请仲裁的,则只能由劳动合同履行地的劳动争议仲裁委员会管辖。

由此可以看出,我国的劳动争议仲裁实行的是特殊地域管辖,不实行级别管辖或者协定管辖。特殊地域管辖是指依照当事人之间的某一个特殊的联结点确定的管辖。本法以劳动合同履行地和用人单位所在地作为联结点确定劳动争议仲裁管辖,因此是特殊地域管辖。同时本法不允许双方当事人协议选择劳动合同履行地或者用人单位所在地以外的其他劳动争议仲裁委员会进行管辖。这不同于一般的民商事仲裁,民商事仲裁是允许双方当事人依法选择劳动争议仲裁委员会进行仲裁的。

1993 年国务院制定的《企业劳动争议处理条例》规定了县、市、市辖区应当设立劳动争议仲裁委员会,没有明确是否设立省级劳动争议仲裁委员会。经过了十几年,各地普遍形成省、市、县三级劳动争议仲裁委员会的格局,这必然带来了上、下级劳动争议仲裁委员会之间受理劳动争议案件的分工和权限问题,即级别管辖问题。各地划分级别管辖的一般原则是,劳动争议案件一般由基层的劳动争议仲裁委员会管辖,特殊和重大的劳动争议案件的级别管辖由省人民政府规定。各地一般都规定,省级劳动争议仲裁委员会和设区的市的劳动争议仲裁委员会,负责处理外商投资企业的劳动争议和在本省有重大影响的劳动争议。有的地方还将企业划分为中央企业、省属企业和市属企业等,依此确定不同级别劳动争议仲裁委员会的管辖权。

本法在劳动争议仲裁委员会的设置上对以往的体制作了一些突破,主要表现在劳动争议仲裁委员会不按行政区划层层设立。劳动争议仲裁委员会设在同一层面的不同地域,相互之间是独立的,没有隶属关系,不存在上级仲裁委员会可以变更或者撤销下级仲裁委员会作出的仲裁裁决的问题。因此,劳动争议仲裁不实行级别管辖。在出现管辖权争议时,法律又明确规定由劳动合同履行地的劳动争议仲裁委员会管辖,这也基本避免了由上级主管部门指定管辖的情形。

另外,劳动争议的管辖还存在移送管辖情形。移送管辖即劳动争议仲裁委员会将已经受理的无管辖权的劳动争议案件移送给有管辖权的劳动争议仲裁委员会。劳动争议仲裁委员会发现受理的劳动争议案件不属于本仲裁委员会管辖时,应当移送有管辖权的劳动争议仲裁委员会。

第二十二条　发生劳动争议的劳动者和用人单位为劳动争议仲裁案件的双方当事人。

劳务派遣单位或者用工单位与劳动者发生劳动争议的,劳务派遣单位和用工单位为共同当事人。

【释义】　本条对劳动争议仲裁的当事人作了规定。

劳动争议仲裁当事人是指因劳动权益纠纷,以自己的名义参加劳动争议仲裁活动,请求保护自己的合法权益,并受劳动争议仲裁委员会仲裁裁决约束的直接利害关系人。劳动争议仲裁当事人具有以下特点:(1)为劳动争议的一方。(2)以自己的名义参加劳动争议仲裁活动,如果不是以自己的名义而是以他人的名义参加到仲裁程序中的,如仲裁代理人等都不是劳动争议仲裁的当事人。(3)与案件有直接利害关系,即指劳动争议仲裁当事人是劳动权益纠纷的法律关系的主体,是权利享有者和义务承担者。与案件没有直接利害关系的人,如支持劳动者仲裁的工会等,不是劳动争议仲裁的当事人。(4)受劳动争议仲裁委员会裁决的约束。劳动争议仲裁委员会作出的裁决,对当事人具有法律上的约束力。虽以自己的名义参加劳动争议仲裁,但不受劳动争议仲裁委员会的仲裁裁决直接约束的人,如证人、鉴定人,不是劳动争议仲裁的当事人。当事人在劳动争议仲裁中的权利主要有:(1)有权提出仲裁申请;(2)有权委托代理人;(3)有权提出答辩、回避和提供证据;(4)有权自行和解、达成协议和拒绝调解;(5)有权要求仲裁员对其个人隐私保密;(6)有权要求追究仲裁人员违法行为的法律责任等。

本条第一款明确规定,发生劳动争议的劳动者和用人单位为劳动争议仲裁案件的当事人。这就是说在劳动争议仲裁案件中,当事人只能是发生劳动争议的劳动者和用人单位。用人单位是法人的,由其法定代表人参加劳动争议仲裁活动;用人单位是非法人组织的,由其主要负责人参加劳动争议仲裁活动。在集体合同争议仲裁案件中,当事人劳动者一方由工会作为当事人,这属特殊情形。在仲裁程序中当事人则表现为劳动争议仲裁的申请人和被申请人。申请人是指以自己的名义,为了保护自己的权益,依法向劳动争议仲裁委员会提出申请,从而引起仲裁程序发生的人。被申请人是指因申请人向劳动争议仲裁委员会申诉其侵害了申请人的合法权益,或者对这些权益发生了争议,而被劳动争议仲裁委员会通知应诉的人。申请人和被申请人可以是劳动者或者用人单位,他们都是劳动争议仲裁法律关系的主体。

在实践中,申请人的主体资格容易确定,在目前的劳动争议仲裁案件中,绝大多数申请人为劳动者。确认申请人的主体资格应以是否存在劳动关系为依据。只要劳动者与用人单位存在劳动关系(包括事实劳动关系),与用人单位发生劳动争议申请仲裁的就具有申请人的主体资格。劳动者丧失或者部分丧失民事行为能力的,由其法定代理人代为参加仲裁活动;无法定代理人的,由劳动争议仲裁委员会为其指定代理人。劳动者死亡的,由其近亲属或者代理人参加仲裁活动。而认定被申请人资格则比较复杂。在认定被申请人资格时应注意以下几个问题:

第一,用人单位发生变更的,应以变更后的用人单位作为被申请人。用人单位的变更会对劳动者的劳动权利义务产生一定影响,但无论怎样变更都不应该导致劳动权利义务的消灭。用人单位与其他用人单位合并的,合并前发生的劳动争议,由合并后的用人单位作为当事人;用人单位分立为若干用人单位的,其分立前发生的劳动争议,由分立后承受其劳动权利和义务的实际用人单位为当事人。用人单位分立为若干单位后,对承受劳动权利义务的单位不明确的,分立后的单位均为当事人。

第二,用人单位终止的,应区分情况以用人单位的主管部门、开办单位或者依法成立的清算组作为被申请人。用人单位因依法撤销、解散、破产、歇业、被吊销营业执照等原因而终止,用人单位的终止,直接关系到用人单位的存在及利害关系人的利益,特别是劳动者的利益。

第三,劳动者在其用人单位与其他平等主体之间的承包经营期间,与发包方和承包方双方或者一方发生劳动争议,发包方和承包方为劳动争议的共同当事人。

当事人申请劳动争议仲裁应当具备的条件有:(1)申诉人必须是与申请仲裁的劳动争议有直接利害关系的劳动者或者用人单位;(2)申请仲裁的争议必须是劳动争议,如果不是劳动争议,而是民事、经济纠纷,或者是劳动行政纠纷,劳动争议仲裁委员会将不予受理;(3)申请仲裁的劳动争议必须是属于本法第二条规定的劳动争议仲裁的受案范围;(4)当事人必须向有管辖权的劳动争议仲裁委员会申请仲裁;(5)有明确的被申请人和具体的仲裁请求及事实依据;(6)除非遇到不可抗力或者有其他正当理由,申请仲裁必须在本法规定的时效内提出等。

本条第二款明确规定了劳务派遣单位或者用工单位与劳动者发生劳动争议的,劳务派遣单位和用工单位为共同当事人。劳务派遣的最大特点是劳动力雇佣与劳动力使用相分离,被派遣劳动者不与被派遣的单位(即真正的用工单位)签订劳动合同,发生劳动关系,而是与派遣机构(即劳务派遣单位)签订劳动合同,存在劳动关系,但却要被派遣到用工单位去在用工单位的监督管理下劳动,形成“有关系没劳动,有劳动没关系”的特殊用工形态。劳务派遣近几年在我国获得膨胀性发展,一方面在一定程度上解决了一部分转移就业问题,另一方面也带来了许多负面问题,特别是在劳动者权益保护方面,用工单位借劳务派遣降低用工成本、规避责任风险问题更为突出。为了最大限度地保护劳动者的合法权益,新制定的劳动合同法对劳动派遣问题作出了严格的规范,其中第九十二条规定，劳务派遣单位违反本法规，给被派遣劳动者造成损害的，劳务派遣单位与用人单位承担连带赔偿责任。本法在这一问题上与劳动合同法相衔接，为了防止发生劳动争议后，劳务派遣单位和用工单位相互推诿，不及时处理与劳动者的争议，损害劳动者的权益，本法明确劳务派遣单位或者用工单位与劳动者发生劳动争议的，劳务派遣单位和用工单位为共同当事人。

第二十三条　与劳动争议案件的处理结果有利害关系的第三人，可以申请参加仲裁活动或者由劳动争议仲裁委员会通知其参加仲裁活动。

【释义】　本条是关于劳动争议仲裁第三人的规定。

劳动争议仲裁中的第三人是指与劳动争议案件的处理结果有法律上的利害关系，仲裁程序开始后参加进来以维护自己的合法权益的人。第三人参加仲裁活动，可以由自己主动申请参加，也可由仲裁委员会通知其参加。广义上当事人应当包括第三人，显然本法采用了狭义的当事人概念，同时对劳动争议仲裁当事人和第三人制度作出规定。

一般来说，劳动争议必须有两方当事人，申请人和被申请人，但在个别情况下，也可能出现第三人参加劳动争议仲裁活动。如劳动者在执行职务过程中受到第三方的侵害致伤或者死亡，侵权第三方与其案件的处理具有法律上的利害关系，涉及如何区分劳动者所在单位与侵权第三方的法律责任承担问题；再如，借用职工在借用单位发生工伤事故致残或者死亡，涉及原工作单位和借用单位对职工工伤待遇给付问题；以及工伤争议中涉及未成年子女抚养问题等。上述情况中的侵权第三方、借用单位、未成年子女与案件的处理结果具有法律上的利害关系，应作为第三人参加仲裁活动。第三人参加仲裁活动对查明事实、及时公正处理案件有利。在第三人参加仲裁活动中应注意以下几个方面的问题：

第一，第三人与案件处理结果有法律上的利害关系是指实体权利义务上的关系。

第二，第三人参加仲裁活动有两种方式：第三人申请参加仲裁，或者由劳动争议仲裁委员会通知第三人参加仲裁。

第三，第三人参加仲裁的时间应是在劳动争议仲裁程序开始后且尚未作出仲裁裁决之前。

第四，凡是涉及第三人利益的劳动争议案件，第三人未参加仲裁的，仲裁裁决对其不发生法律效力。

第五，参加仲裁活动的第三人，如对仲裁裁决其承担责任不服，可以依法向人民法院提起诉讼。

第六，在仲裁中，第三人的具体权利义务主要表现为：有权了解申请人申诉、被申请人答辩的事实和理由；有权要求查阅和复制案卷的有关材料，了解仲裁的进展情况；有权陈述自己的意见，并向劳动争议仲裁委员会递交自己对该争议的意见书；无权对案件的管辖权提出异议；无权放弃或者变更申请人或者被申请人的仲裁请求；不得撤回仲裁申请，等等。

另外，根据新制定的劳动合同法第九十一条的规定，用人单位招用与其他用人单位尚未解除或者终止劳动合同的劳动者，给其他用人单位造成损失的，应当承担连带赔偿责任。在这种情形下，原用人单位与劳动者劳动争议申请劳动争议仲裁的，可以列新用人单位为第三人。

第二十四条　当事人可以委托代理人参加仲裁活动。委托他人参加仲裁活动，应当向劳动争议仲裁委员会提交有委托人签名或者盖章的委托书，委托书应当载明委托事项和权限。

【释义】　本条是关于委托代理的规定。

代理是代理人在代理权的范围内，以被代理人的名义或者自己的名义独立与第三人为民事行为，由此产生的法律效果直接或者间接归属于被代理人的法律制度。在代理制度中，以他人名义或者自己名义为他人实施民事行为的人，称为代理人。由他人代为实施民事行为的人，称为被代理人。根据代理权产生的不同，又可以将代理分为委托代理、法定代理和指定代理。委托代理，是指基于被代理人的委托授权而发生的代理。委托代理权的产生通常以委托合同和委托授权行为两个法律行为同时有效存在为前提。法定代理是指代理基于法律的直接规定而发生的代理。法定代理主要适用于被代理人为无民事行为能力或限制行为能力人的情况。指定代理是指基于法院或有关机关的指定行为而发生的代理。这里有关机关指仲裁机关或依法对被代理人的合法权益负有保护义务的组织，如未成年人所在居民委员会、村民委员会等。

就仲裁行为而言，仲裁代理是指根据法律规定或者当事人的委托，代理人以被代理人的名义代为参加仲裁活动。仲裁代理制度使当事人可以利用他人的能力参加仲裁，更好地通过仲裁维护自己的合法权益。仲裁代理具有如下特征：(1)代理人以被代理人的名义参加仲裁活动。代理人对所代理的仲裁案件，就其劳动争议关系既不享有权利，也不承担义务，只在法律规定或者当事人的委托权限内代为进行仲裁活动。因此，代理人只能以被代理人的名义，而不是自己的名义参加仲裁活动。(2)代理人依法进行仲裁活动，其代理活动的后果由被代理人承担。代理人不是劳动争议关系的当事人，因法律规定或受代理人的委托进行仲裁活动，目的是维护被代理人的合法权益，而并非自己的权益，因此，其代理活动的后果由被代理人承担。(3)同一仲裁代理人只能代理一方当事人进行仲裁活动。由于在仲裁活动中，双方当事人的利益是相对立冲突的，因此，为维护被代理人的权益，同一仲裁代理人只能作为一方当事人的代理人，而不允许双方代理。

仲裁代理同样也可以分为委托仲裁代理、法定仲裁代理和指定仲裁代理。本条是关于委托仲裁代理制度的规定。委托仲裁代理是指受当事人的委托，代理人以被代理人的名义代为参加仲裁活动的制度。委托仲裁代理具有以下特征：(1)代理权的发生基于当事人的意思表示，即代理权基于当事人的授权而发生，而非法律的规定或者仲裁委员会的指定。(2)代理权限由当事人决定，而非法律规定。(3)当事人委托他人参加仲裁活动，应当向劳动争议仲裁委员会提交委托书。

本条以委托仲裁代理的三个特征为基础，对劳动争议委托仲裁代理行为作了规定。

1. 当事人享有委托权

委托代理权是当事人的一项重要权利,委托代理由当事人的授权而发生,当事人既有权决定是否委托他人来代理自己进行仲裁活动,委托他人对仲裁活动中的哪些事项进行代理,同时也在一定的范围内有权决定委托谁来代理其进行仲裁活动,而无须得到劳动仲裁委员会的事先批准。本条规定,当事人可以委托代理人参加仲裁活动。参照民事诉讼法的规定以及劳动争议仲裁的理论,当事人的法定代理人同样可以委托代理人参加仲裁活动。如当事人因工伤丧失民事行为能力,由其父亲依法担任其法定代理人,在对其工伤赔偿进行的劳动争议仲裁中,其父亲即其法定代理人也可以委托代理人参加仲裁活动。

虽然,当事人有权选择何人作为自己的代理人参加仲裁活动,但为了维护劳动争议仲裁权威,保障仲裁活动的顺利进行,参照民事诉讼法的有关规定,一些省市的有关规定中一般认为律师、当事人的近亲属、有关的社会团体或者所在单位推荐的人、有正当理由并经劳动争议仲裁委员会许可的其他公民,可以作为劳动争议仲裁代理人。无民事行为能力、限制民事行为能力或者可能损害被代理人利益的人,以及经劳动争议仲裁委员会审查认为无代理资格的人,不能作为劳动仲裁代理人。

虽然,可以受当事人委托代理其参加仲裁活动的人范围非常广泛,包括当事人的近亲属、律师、社会团体推荐的人、当事人所在单位推荐的人、劳动仲裁委员会许可的其他公民。当事人可以根据自己的情况做出选择,但无论代理人为何人,都必须得到当事人的委托授权,方可代为进行仲裁活动。

2. 应当向劳动争议仲裁委员会提交委托书

当事人委托代理人参加仲裁活动的,应在委托代理人参加仲裁活动前将授权委托书送交劳动争议仲裁委员会,由劳动争议仲裁委员会对其代理人资格进行审查。经审查,不符合有关规定的,仲裁委员会有权取消其代理资格。当事人委托他人参加仲裁活动的授权委托书,应当有委托人的签名或者盖章。

3. 委托书应当载明委托事项和权限

当事人必须向劳动争议仲裁委员会提交的授权委托书应当明确委托事项和权限。根据民事诉讼法对委托代理的规定,结合代理的有关理论,委托代理人代理仲裁活动时,代为承认、放弃、变更仲裁请求,进行和解、调解的必须有委托人的特别授权。委托仲裁代理人是根据当事人、法定代理人、法定代表人的授权委托而代为进行仲裁活动的,委托代理人只有在代理权限范围内进行的代理行为所产生的法律后果才能由被代理人承担。因此,应当在委托书中写明代理权限,是委托其代理整个仲裁活动中的一项或几项仲裁行为,还是所有的仲裁行为。这也是因代理权发生争议后,委托代理人和被委托代理人划分责任的依据。

根据授权范围的不同,可以将劳动争议仲裁中的委托代理分为一般委托代理和特别委托代理。一般委托代理,是指代理人只能代理被代理人为一般仲裁行为的代理。特别委托代理，是指代理人不仅可以为被代理人代理一般仲裁行为，而且还可以根据被代理人的特别授权，代为承认、放弃、变更仲裁请求，进行和解、调解等仲裁行为的代理。通常，我们所说的委托代理都是指一般委托代理，如果是对代理人进行特别授权，应当对此作出特别且明确的说明。授权委托书无明确授权的，只写"委托某某代理仲裁"的，视为代理人无权代为承认、放弃、变更仲裁请求，进行和解，请求和接受调解，但可以进行除上述涉及实体权利处分以外的其他一切仲裁行为。

关于委托代理的终止，本法没有作出明确规定，一般认为，委托代理产生后，出现下列情形之一的，委托代理权即归于消灭：（1）仲裁程序终结；（2）委托代理人死亡或者丧失行为能力；（3）委托人解除委托或者代理人辞去委托。

第二十五条　丧失或者部分丧失民事行为能力的劳动者，由其法定代理人代为参加仲裁活动；无法定代理人的，由劳动争议仲裁委员会为其指定代理人。劳动者死亡的，由其近亲属或者代理人参加仲裁活动。

【释义】　本条是关于法定代理和指定代理的规定。

（一）法定仲裁代理

1. 被代理人

自然人的民事权利能力是指法律赋予自然人享有民事权利、承担民事义务的资格。每一个自然人自出生起，就当然地具有民事权利能力，但民事权利能力仅是一种资格，一种可能性,却不是每个具有民事权利能力的人,都一定具有民事行为能力。自然人的民事行为能力是指自然人能够以自己的行为独立参加民事法律关系,行使民事权利和承担民事义务的能力。自然人的民事行为能力需要该自然人具有正确识别事务、判断事务的能力,即有意思能力。意思能力是当事人具有行为能力的基础。自然人的意思能力,受到年龄和精神状况的限制。民法通则根据自然人的年龄阶段和精神状况,对自然人的民事行为能力划分为:完全民事行为能力、限制民事行为能力即部分丧失民事行为能力、无民事行为能力即丧失民事行为能力。民法通则第十二条规定:“十周岁以上的未成年人是限制民事行为能力人,可以进行与他的年龄、智力相适应的民事活动;其他民事活动由他的法定代理人代理,或者征得他的法定代理人的同意。”“不满十周岁的未成年人是无民事行为能力人,由他的法定代理人代理民事活动。”第十三条规定:“不能辨认自己行为的精神病人是无民事行为能力人,由他的法定代理人代理民事活动。”“不能完全辨认自己行为的精神病人是限制民事行为能力人,可以进行与他的精神健康状况相适应的民事活动;其他民事活动由他的法定代理人代理,或者征得他的法定代理人的同意。”由于劳动者一般为成年人,用人单位一方多为法人或其他组织,所以本条对法定代理的规定目的是保护丧失或者部分丧失民事行为能力的劳动者的利益。因此,本条所指的法定代理人是根据法律的规定行使代理权,代理当事人参加仲裁活动的人,适用于被代理人虽为成年人但因疾病、伤害等情况丧失或者部分丧失民事行为能力的人。

2. 法定代理人

本法没有对法定仲裁代理人的范围作出直接的规定。民事诉讼法第五十七条规定:“无诉讼行为能力人由他的监护人作为法定代理人代为诉讼。”《最高人民法院关于适用〈中华人民共和国民事诉讼法〉若干问题的意见》第六十七条规定:“在诉讼中,无民事行为能力人、限制民事行为能力人的监护人是他的法定代理人。事先没有确定监护人的,可以由有监护资格的人协商确定,协商不成的,由人民法院在他们之间指定诉讼中的法定代理人。当事人没有《民法通则》第十六条第一、二款或者第十七条第一款规定的监护人的,可以指定该法第十六条第四款或者第十七条第三款规定的有关组织担任诉讼期间的法定代理人。”其中第十六条是关于未成年人的监护人的规定在此可以不做考虑,第十七第三款规定,无民事行为能力或者限制民事行为能力的精神病人,“没有第一款规定的监护人的”,即配偶、父母、成年子女、其他近亲属、关系密切的其他亲属、朋友愿意承担监护责任,经精神病人的所在单位或者住所地的居民委员会、村民委员会同意的,“由精神病人的所在单位或者住所地的居民委员会、村民委员会或者民政部门担任监护人”。参照上述规定以及代理制度的基本原理,一般认为,在劳动争议仲裁中,丧失或者部分丧失民事行为能力的劳动者的监护人是他的法定代理人。实践中,最常见的法定仲裁代理人主要有父母、配偶、成年的兄或姐等。

由于法定代理人是基于法律规定而行使代理权的人,并且法定代理人对被代理人享有亲权或者监护权，因此，法定代理人的代理权限与被代理人的权利是同等的，即法定代理人不仅享有仲裁程序中的一般性权利，如本法第二十四条规定的委托代理人参加仲裁活动的权利，而且还可以根据自己的意愿处分被代理人的实体性权利，如承认、变更和放弃仲裁请求、进行和解或者调解等。

法定代理是法律为保护被代理人合法权益而设立的一项法律制度。对法定代理人来说，担任代理人既是法律赋予的民事权利，也是一项民事义务。法定代理人没有充分理由，不得拒绝代理。在仲裁程序中，法定代理人的代理权因下列情形之一而消灭：(1)被代理人恢复了行为能力；(2)被代理人死亡；(3)法定代理人死亡或者丧失行为能力；(4)法定代理人失去对被代理人的亲权或者监护权。

(二)指定仲裁代理

这里的指定仲裁代理是指根据劳动争议仲裁委员会的指定，而代理丧失或者部分丧失民事行为能力的劳动者参加仲裁活动的人。根据本条的规定，劳动争议仲裁委员会指定代理人主要是由于丧失或者部分丧失民事行为能力的劳动者，本身在参加仲裁的能力上已经存在欠缺，如果又没有法定代理人代理其参加仲裁，那么一方面在仲裁过程中，很可能出现一边倒的局面，劳动者的合法权益很难得到有效维护，另一方面，仲裁审理也很难得到顺利进行。所以，为保障仲裁的公正性，由劳动争议仲裁委员会为其指定代理人。参照民法通则的规定，主要是指丧失或者部分丧失民事行为能力的劳动者住所地的居民委员会、村民委员会或者民政部门。这里需要注意的是，根据民法通则的规定，其所在单位也可以作为监护人，在仲裁中作为该劳动者的法定代理人参加仲裁，但由于劳动争议仲裁的另一方当事人往往是其所在单位，根据禁止自己代理的规定，不能指定其为劳动争议仲裁的法定代理人。

（三）劳动者死亡的情形

劳动者死亡的，由其近亲属或者代理人参加仲裁活动。劳动者死亡后，但其生前所参加的劳动关系引发的劳动争议还未得到处理的，为保障劳动者及其家属的合法权益，由其近亲属或者代理人参加仲裁活动。这时，其近亲属或者代理人是仲裁案件的当事人。

第二十六条　劳动争议仲裁公开进行，但当事人协议不公开进行或者涉及国家秘密、商业秘密和个人隐私的除外。

【释义】　本条是关于劳动争议仲裁公开的规定。

劳动争议仲裁公开进行，是指仲裁庭公开开庭审理。仲裁公开是劳动争议仲裁的一项重要制度。关于劳动争议仲裁是否公开进行，在立法过程中存在着不同的观点：一种意见认为劳动争议仲裁应当与商事仲裁一致，以不公开为原则，以公开为例外；另一种意见认为，除特定情形外，劳动争议仲裁应当公开进行。立法机关对上述意见经过认真研究，认为劳动争议仲裁与商事仲裁有着明显的区别，劳动争议仲裁不是基于当事人的协议选择进行，而是法律规定的解决劳动争议的必经程序，当事人不能任意选择仲裁员，而且劳动争议仲裁委员会的经费由财政予以保障，因此，与民商事仲裁相比，劳动争议仲裁有明显的公权色彩，应接受社会监督，除涉及国家秘密、商业秘密、个人隐私外，应当公开进行。同时，为了不伤和气解决劳动争议，双方当事人协议不公开进行的，仲裁应当不公开进行。

本法对劳动争议仲裁案件公开进行仲裁的具体程序和要求没有作出进一步规定，实践中，一些地方制定了劳动争议仲裁开庭公开审理实施办法对此作出具体规定。如北京市劳动和社会保障局2001年颁布了《北京市劳动争议仲裁开庭公开审理实施办法》，并在印发通知中指出："按照《关于公民旁听审理劳动争议案件的规定》和《关于新闻记者采访公开审理劳动争议案件的规定》，组织实施公开审理工作；依法应公开的案件一律公开审理，除涉及国家机密、企业秘密、当事人隐私的劳动争议案件，经当事人申请后可不进行公开审理外，其他劳动争议案件一律公开审理；公开审理的案件应做到先期以书面形式在仲裁部门的公告栏内公告，允许公民旁听和新闻记者采访。"

劳动争议仲裁关系到劳动争议双方的权益保护，也是解决劳动争议的一项重要措施，是促进企业规范劳动用工关系，保障经济建设顺利进行的关键因素之一。仲裁公开有利于双方当事人更好地行使仲裁权利，维护自己的合法权益；有利于仲裁庭通过公开仲裁时劳动争议双方进行的辩论和质证，全面客观地了解案件情况，做出公正的裁决；有利于对仲裁庭裁决案件进行监督，增强案件仲裁的透明度和公正性，提高仲裁裁决的质量和权威;同时还可以在一定程度起到宣传劳动法律法规,提高用人单位和劳动者的法律素质,增强守法意识,减少、避免劳动争议发生的作用。

但并不是所有的劳动争议仲裁案件都公开进行,一些特殊案件如公开进行,反而可能会不利于对当事人权益的保护,带来消极的社会影响,甚至给国家利益、社会利益造成巨大损失。因此,本条规定双方当事人协议不公开,或者劳动争议涉及国家秘密、商业秘密和个人隐私的,不进行公开仲裁。

根据保守国家秘密法第二条的规定,“国家秘密是关系国家的安全和利益,依照法定程序确定,在一定时间内只限一定范围的人员知悉的事项”。其中第八条又对国家秘密所包含的事项作出了具体规定:“国家秘密包括符合本法第二条规定的下列秘密事项:(一)国家事务的重大决策中的秘密事项;(二)国防建设和武装力量活动中的秘密事项;(三)外交和外事活动中的秘密事项以及对外承担保密义务的事项;(四)国民经济和社会发展中的秘密事项;(五)科学技术中的秘密事项;(六)维护国家安全活动和追查刑事犯罪中的秘密事项;(七)其他经国家保密工作部门确定应当保守的国家秘密事项。”“不符合本法第二条规定的,不属于国家秘密。”“政党的秘密事项中符合本法第二条规定的,属于国家秘密。”国家秘密的密级分为“绝密”“机密”“秘密”三级。“绝密”是最重要的国家秘密,泄露会使国家的安全和利益遭受特别严重的损害;“机密”是重要的国家秘密,泄露会使国家的安全和利益遭受严重的损害;“秘密”是一般的国家秘密,泄露会使国家的安全和利益遭受损害。所以,为避免公开仲裁造成国家秘密泄露,给国家安全和利益造成损失,涉及国家秘密的案件不进行公开仲裁。

商业秘密是指构成一个企业竞争优势的任何不为他人所知悉的商业信息。除持有人以外的任何人未经许可使用这些信息都将被认为是一种失去商业信誉的侵权行为。我国反不正当竞争法第十条中规定:“本条所称的商业秘密,是指不为公众所知悉、能为权利人带来经济利益、具有实用性并经权利人采取保密措施的技术信息和经营信息。”商业秘密具有以下四个基本特征:(1)秘密性。商业秘密首先必须是处于秘密状态的信息,不可能从公开的渠道所获悉。即不为所有者或所有者允许知悉范围以外的其他人所知悉,不为同行业或者该信息应用领域的人所普遍知悉。(2)实用性。商业秘密必须是一种现在或者将来能够应用于生产经营或者对生产经营有用的具体的技术方案和经营策略。商业秘密与其他理论成果的根本区别就在于商业秘密具有现实或潜在的实用价值。不能直接或间接使用于生产经营活动的信息,不具有实用性,不属于商业秘密。(3)保密性。保密性,是指权利人采取保密措施,通过合理的保密手段,明示其保密意图。(4)价值性。价值性是指该商业秘密自身所蕴含的经济价值和市场竞争价值,并能实现权利人追求利益的目的。因此,如果公开仲裁,造成商业秘密泄露,会对该企业造成经济损失,降低其市场竞争力。经当事人提出不公开开庭的申请,对涉及商业秘密的案件不进行公开仲裁。

个人隐私是指个人不愿意为他人知晓和干预的私人生活，包括私人生活不受他人非法干扰，私人信息不受他人非法收集、公开等。规定涉及个人隐私的案件不进行公开裁决，有利于对当事人合法权益的保护，是对个人隐私权的尊重。

仲裁作为解决争议的一种重要方式，具有尊重当事人双方的意识自治的特点，因此劳动争议仲裁中，除上述涉及国家秘密、商业秘密以及个人隐私的情况外，双方当事人达成不公开审理的协议的，也不进行公开审理。

第二节　申请和受理

第二十七条　劳动争议申请仲裁的时效期间为一年。仲裁时效期间从当事人知道或者应当知道其权利被侵害之日起计算。

前款规定的仲裁时效，因当事人一方向对方当事人主张权利，或者向有关部门请求权利救济，或者对方当事人同意履行义务而中断。从中断时起，仲裁时效期间重新计算。

因不可抗力或者有其他正当理由，当事人不能在本条第一款规定的仲裁时效期间申请仲裁的，仲裁时效中止。从中止时效的原因消除之日起，仲裁时效期间继续计算。

劳动关系存续期间因拖欠劳动报酬发生争议的，劳动者申请仲裁不受本条第一款规定的仲裁时效期间的限制；但是，劳动关系终止的，应当自劳动关系终止之日起一年内提出。

【释义】　本条是关于申请仲裁的时效期间的规定。

(一)仲裁时效

时效是指一定的事实状态持续存在一定时间后即发生一定法律后果的法律制度。仲裁时效具体来说就是指权利人于一定期间内不行使请求劳动争议仲裁机构保护其民事权利的请求权,就丧失该请求权的法律制度。仲裁时效具有以下四个方面的突出特征:第一,从仲裁时效的条件上看,仲裁时效是以权利人不行使请求劳动争议仲裁机构保护其权利的事实状态为前提的。第二,在仲裁时效完成后权利人所丧失的并非是向劳动争议仲裁机构申请仲裁的权利。在时效完成后,权利人仍有权向劳动争议仲裁机构申请仲裁,不过劳动争议仲裁机构不再保护其权利。第三,仲裁时效具有强制性。法律关于仲裁时效的规定,属于强制性规范,当事人不得协议排除对仲裁时效的适用,也不得协议变更仲裁时效的期间。第四,仲裁时效具有特殊性。所谓特殊性,是指这里规定的仲裁时效仅适用于劳动争议仲裁案件。

对劳动争议案件规定仲裁时效,有以下几个方面的意义:第一,维护劳动关系的稳定。时效制度的作用就在于使事实状态与法律状态相一致,从而结束当事人间的权利义务的不稳定状态,使之在法律上重新固定下来,从而维护了劳动关系的稳定。第二,督促权利人及时行使权利。因仲裁时效完成后,权利人即丧失请求劳动争议仲裁机构保护其权利的请求权,因此仲裁时效就起到了督促权利人及时行使请求权的权利。权利人及时行使权利,有利于劳动争议的尽快解决,维护劳动关系的稳定。第三,有利于正确处理劳动争议案件。仲裁时效制度督促权利人及时行使权利，从而使劳动争议仲裁机构尽快地介入劳动争议，这样因争议发生的时间较短，易于调查取证，便于正确处理，防止因年代久远、证据不全或难以辨认而导致错误裁决。

1. 仲裁时效为一年。关于仲裁时效的期间，现行的劳动法第八十二条规定："提出仲裁要求的一方应当自劳动争议发生之日起六十日内向劳动争议仲裁委员会提出书面申请。"而民法通则规定的一般民事权利时效为两年，特殊的民事权利诉讼时效为一年。劳动法的这一时效规定区别于民事争议的诉讼时效期间，这是基于劳动争议案件的特殊性而作出的规定，旨在尽快地解决劳动争议。但在实际执行中，由于有些劳动争议案件的情况很复杂，劳动者难以在六十日内申请仲裁，往往因为超过了仲裁时效而得不到法律保护。尤其是在当前劳动力供大于求的形势下，一些劳动者如刚毕业的大学生、农民工等明知权利被侵害，为了与用人单位维持劳动关系，保住"饭碗"，不会一发生劳动争议就去申请仲裁，往往是最后没有办法，迫不得已才去主张权利，这时候可能已经过了六十日的仲裁时效期间。因此，在立法过程中，有许多意见认为劳动法中规定的六十日的时效期间过短，不利于保护劳动者的合法权益。本法参照了民法通则关于特殊民事权利的诉讼时效的规定，延长了申请仲裁的时效期间，将劳动争议仲裁的时效期间规定为一年。

2. 仲裁时效的计算。根据本条规定，仲裁时效期间从当事人知道或者应当知道其权利被侵害之日起计算。权利人知道自己的权利遭到了侵害，这是其请求劳动争议仲裁机构保护其权利的基础。从这一时间点开始计算仲裁时效期间，符合仲裁时效是权利人请求仲裁机构保护权利的法定期间的本意。知道权利遭受了侵害，指权利人主观上已了解自己权利被侵害事实的发生；应当知道权利遭受了侵害，指权利人尽管主观上不了解其权利已被侵害的事实，但根据他所处的环境，有理由认为他已了解已被侵害的事实，他对侵害的不知情，出于对自己的权利未尽到必要的注意或将其作为推延仲裁时效期间起算点的借口的情况。

仲裁时效的起算，以权利人的权利客观上受到了侵害、且主观上已知晓权利被侵害的事实为构成要件。权利人主观上认为自己的权利受到了侵害，而事实上其权利并未受到侵害的，不能使仲裁时效期间开始计算。

（二）仲裁时效的中断

仲裁时效的中断，是指在仲裁时效进行期间，因发生法定事由致使已经经过的仲裁时效期间统归无效，待时效中断事由消除后，重新开始计算仲裁时效期间。

1. 仲裁时效中断的法定事由。本条第二款规定“前款规定的仲裁时效，因当事人一方向对方当事人主张权利，或者向有关部门请求权利救济，或者对方当事人同意履行义务而中断”。因此，仲裁时效中断的法定事由有三种情形：（1）向对方当事人主张权利。如劳动者向用人单位讨要被拖欠的工资或者经济补偿。（2）向有关部门请求权利救济。如劳动者向劳动监察部门或者工会反映用人单位违法要求加班，请求保护休息权利；也可以是指向劳动争议调解组织申请调解。(3)对方当事人同意履行义务。如劳动者向用人单位讨要被拖欠的工资，用人单位答应支付。需要注意，认定时效是否中断，需要由请求确认仲裁时效中断的一方当事人提供有上述三种情形之一的证据。因此，需要当事人有证据意识，注意保留和收集证据。

2. 仲裁时效中断的法律后果。发生仲裁时效中断时，已经进行的仲裁时效期间统归无效，重新开始计算时效期间。本条第二款规定“从中断时起，仲裁时效期间重新计算”。这里的“中断时起”应理解为中断事由消除时起。如权利人申请调解的，经调解达不成协议的，应自调解不成之日起重新计算；如达成调解协议，自义务人应当履行义务的期限届满之日起计算等。

（三）仲裁时效的中止

仲裁时效的中止，是指在仲裁时效进行中的某一阶段，因发生法定事由致使权利人不能行使请求权，暂停计算仲裁时效，待阻碍时效进行的事由消除后，继续进行仲裁时效期间的计算。

1. 仲裁时效中止的事由。仲裁时效的中止是因权利人不能行使请求权才发生的，因而发生仲裁时效中止的事由应是阻碍权利人行使权利的客观事实、无法预知的客观障碍。本条第三款规定，“因不可抗力或者有其他正当理由，当事人不能在本条第一款规定的仲裁时效期间申请仲裁的，仲裁时效中止”。根据《民法通则》第一百五十三条规定，这里的“不可抗力”是指不能预见、不能避免并且不能克服的客观情况，如发生特大自然灾害、地震等。这里的“其他正当理由”，是指除不可抗力外阻碍权利人行使请求权的客观事实。如权利人为无民事行为能力人或限制民事行为能力人而无法定代理人，或者其法定代理人死亡或丧失民事行为能力等。

2. 仲裁时效中止的法律后果。根据本条第三款规定，“从中止时效的原因消除之日起，仲裁时效期间继续计算”。因此，在发生仲裁时效中止时，已经进行的诉讼时效仍然有效，而仅是将时效中止的时间不计入仲裁时效期间，也就是将时效中止前后时效进行的时间合并计算仲裁时效期间。

（四）劳动报酬争议仲裁的特别时效

本条规定申请劳动仲裁的一般时效为一年。但是，在有些情况下，一年的时效期间还不能保护劳动者的合法权益。如在有的行业，尤其是建筑业，拖欠工资问题比较突出，工人的劳动报酬很多到年底才结算；还有些劳动者为了维持劳动关系，在劳动关系存续期间对用人单位拖欠劳动报酬的行为不敢主张权利。如果都适用一年的仲裁期间，不利于保护他们的合法权益。因此本条第四款规定，“劳动关系存续期间因拖欠劳动报酬发生争议的，劳动者申请仲裁不受本条第一款规定的仲裁时效期间的限制”。对于劳动者与用人单位的劳动关系已经终止的情况，则没有维系劳动关系这样的顾虑，因此本条第四款作出了“劳动关系终止的，应当自劳动关系终止之日起一年内提出”的规定。

第二十八条　申请人申请仲裁应当提交书面仲裁申请，并按照被申请人人数提交副本。

仲裁申请书应当载明下列事项：

（一）劳动者的姓名、性别、年龄、职业、工作单位和住所，用人单位的名称、住所和法定代表人或者主要负责人的姓名、职务；

（二）仲裁请求和所根据的事实、理由；

（三）证据和证据来源、证人姓名和住所。

书写仲裁申请确有困难的，可以口头申请，由劳动争议仲裁委员会记入笔录，并告知对方当事人。

【释义】　本条是关于仲裁申请书的规定。

（一）书面申请

根据本法规定，当事人申请仲裁应当采用书面形式。以书面形式申请仲裁，有利于明确表达申请人的仲裁请求及其所根据的事实和理由，也便于劳动争议仲裁委员会审查，决定是否受理，以及在决定受理后，向被申请人转达原告的仲裁请求及其依据，方便被申请人行使答辩的权利，有利于仲裁活动的进行。因此，当事人申请仲裁应当以书面方式进行，应当向劳动争议仲裁委员会提交仲裁申请书。根据本条规定，申请人提交书面仲裁申请，应按照被申请人人数递交相应份数的仲裁申请书副本，即与仲裁申请书内容相同的文本，是相对于递交劳动争议仲裁委员会的那份仲裁申请书而言的。劳动争议仲裁委员会保留一份为正本，送达被申请人的各份为副本。

（二）仲裁申请书的内容

仲裁申请书是劳动争议的一方当事人向劳动争议仲裁委员会提出要求对争议事项进行仲裁审理的书面申请，是重要的仲裁文书，在劳动争议仲裁中具有重要作用，是申请人提起仲裁的根据，申请人为争取劳动争议仲裁委员会受理本案并在仲裁中争取有利法律后果，应当认真书写仲裁申请。法律对仲裁申请书的内容进行一定的规范是必要的，这既有利于原告写清楚事实根据与申请理由，也有利于送达被申请人，使其知晓仲裁事由，方便仲裁活动的正式展开。根据本条规定，仲裁申请书应当载明下列事项：

1. 劳动者的姓名、性别、年龄、职业、工作单位和住所，用人单位的名称、住所和法定代表人或者主要负责人的姓名、职务。申请书应当按申请人、被申请人分别列明以上情况。申请人由法定代理人代为仲裁的，或者申请人委托律师或他人代为仲裁的，还应说明法定代理人或委托代理人的基本情况。代理人是律师的，只要写明其所属律师事务所的名称，而不需写明律师的基本情况。写明当事人的基本情况，有助于仲裁委员会审核、认定双方当事人的主体资格，便于仲裁委员会与当事人进行联络。

2. 仲裁请求和所根据的事实、理由。仲裁申请书中的仲裁请求是申请人想通过仲裁程序达到的目的，是仲裁活动中的重要内容，也是仲裁申请书中必须记明的法定事项。因此应当写明申请人通过劳动争议仲裁委员会向被申请人提出的具体实体权利请求，即要求劳动争议仲裁委员会裁决被申请人履行什么义务,以及通过仲裁所要达到的目的。仲裁请求应力求明确具体,切忌含糊不清,模棱两可。在记明仲裁请求的同时,应当记明提出仲裁请求的客观基础,以充分的事实、理由来支持仲裁请求,这样才能使受案的劳动争议仲裁委员会明确其提起仲裁的事实依据和具体原因,并在此基础上对案件进行依法审理和裁决。仲裁请求所根据的事实和理由包括:当事人之间纠纷形成的事实、双方当事人争执的焦点、请求的依据和理由及适用的法律等。这部分内容作为仲裁申请书的核心内容,所述事实理由应当实事求是,于法有据,简明概括。

3. 证据和证据来源、证人姓名和住所。申请人提出仲裁申请应有事实根据,而申请人对自己主张的事实有责任提供证据加以证明,因此,在仲裁中,申请人提出的仲裁请求是否合理,所根据的事实是否存在,应当有证据加以证明,如书证、物证等。申请人在提出证据的同时,应当提供证据的来源,以便劳动争议仲裁委员会核实。如提供的是证人的,要写明证人的姓名和住所或工作单位,以便于仲裁委员会及时核实和调查这些证据,确定能否作为定案的证据,从而及时、公正地裁决。

一份完整的仲裁申请书除上述内容以外,还要写明选定的申请仲裁的劳动争议仲裁委员会的全称,申请仲裁的时间,并在右下方写明申请人的姓名;申请人是法人或其他组织的,要写全称,并另行写明法定代表人或主要负责人的姓名、职务,加盖法人或其他组织的公章。此外,还应注明仲裁申请书副本的份数，以及提交证据的名称、份数，并将其按编号顺序附于仲裁申请书后。

（三）口头申请

申请人申请仲裁应当提交书面仲裁申请，但是本条第三款规定："书写仲裁申请确有困难的，可以口头申请，由劳动争议仲裁委员会记入笔录，并告知对方当事人。"根据该规定，申请仲裁有书面申请和口头申请两种方式，以书面申请为原则，口头申请为例外。即在通常情况下，原告申请仲裁都得向劳动争议仲裁委员会提交书面申请，以便申请人详尽地表述诉讼请求，说明案件的事实、理由和根据，也有利于劳动争议仲裁委员会对申请人的仲裁申请进行审查。只有在书写仲裁申请确实有困难的情况下，才可以口头方式向劳动争议仲裁委员会提出仲裁申请。此处所说的"书写仲裁申请确有困难"，一般是指申请人本人因文化水平低或法律知识欠缺而造成的自行书写仲裁申请确有困难的情形，在这两种情形下，都可以进行口头申请。以口头的方式提起仲裁申请，由劳动争议仲裁委员会记入笔录，笔录应由申请人签名或盖章，与书面仲裁申请具有同等效力。劳动争议仲裁委员会既可以将抄录的申请人口述笔录送给被申请人，也可以将申请人口述的主要内容口头告知被告。

第二十九条　劳动争议仲裁委员会收到仲裁申请之日起五日内，认为符合受理条件的，应当受理，并通知申请人；认为不符合受理条件的，应当书面通知申请人不予受理，并说明理

由。对劳动争议仲裁委员会不予受理或者逾期未作出决定的，申请人可以就该劳动争议事项向人民法院提起诉讼。

【释义】 本条是关于仲裁申请的受理与不受理的规定。

(一)受理

仲裁的受理是指劳动争议仲裁委员会对当事人的申请，经审查后认为符合受理条件，决定立案受理，从而引起仲裁程序开始的行为。仲裁程序始于仲裁当事人的申请，但仅有申请还不能开始仲裁程序，仲裁申请是仲裁当事人的行为，仲裁申请要引起仲裁程序，必须经过劳动争议仲裁委员会的受理。如果劳动争议仲裁委员会认为申请不符合法定的受理条件，决定不予受理，那么仲裁程序就不可能发生。只有劳动争议仲裁委员会认为申请符合法定受理条件，决定受理，仲裁程序才真正开始。申请是受理的前提，受理是申请的结果。仲裁程序的开始，是申请与受理二者的结合。

劳动争议仲裁委员会对当事人的仲裁申请一经受理，便产生了以下法律后果：(1)申请人和被申请人取得了当事人资格，各自依法享有本法规定的仲裁中的权利并承担仲裁中的义务。(2)劳动争议仲裁委员会取得了对这一案件的仲裁权，仲裁程序从此开始，劳动争议仲裁委员会与当事人发生仲裁法律关系。该劳动争议仲裁委员会有权利也有义务依照本法规定的仲裁规则组成仲裁庭对这一案件进行审理并作出裁决。当事人不得就同一纠纷向人民法院提起诉讼或向其他劳动争议仲裁委员会申请仲裁，人民法院或其他仲裁委员会也不得受理当事人的起诉或者仲裁申请。(3)仲裁时效中断。

根据本法第二十七条规定仲裁时效因当事人一方向对方当事人主张权利,或者向有关部门请求权利救济,或者对方当事人同意履行义务而中断。当事人申请仲裁后,时效期间应当重新计算。

(二)审查和受理

劳动争议仲裁委员会受理当事人的仲裁申请后,应当对仲裁申请进行认真的审查。本法没有明确受理条件,但根据相关条文和参考民事诉讼法的有关规定,劳动争议调解委员会可以从以下几个方面进行审查:

1. 是否属于劳动争议。根据本法第二条的规定,中华人民共和国境内的用人单位与劳动者发生的下列劳动争议,适用本法:(1)因确认劳动关系发生的争议;(2)因订立、履行、变更、解除和终止劳动合同发生的争议;(3)因除名、辞退和辞职、离职发生的争议;(4)因工作时间、休息休假、社会保险、福利、培训以及劳动保护发生的争议;(5)因劳动报酬、工伤医疗费、经济补偿或者赔偿金等发生的争议;(6)法律、法规规定的其他劳动争议。劳动争议仲裁委员会只负责审理法定的劳动争议案件,如果双方争议的事项不属于上述规定中的内容,不是劳动争议,则不属于劳动争议仲裁委员会的受案范围,劳动争议仲裁委员会应当不予受理。

2. 是否属于受理的劳动争议仲裁委员会管辖。本法第二十一条第二款规定:"劳动争议由劳动合同履行地或者用人单位所在地的劳动争议仲裁委员会管辖。双方当事人分别向劳动合同履行地和用人单位所在地的劳动争议仲裁委员会申请仲裁的，由劳动合同履行地的劳动争议仲裁委员会管辖。”因此，劳动争议仲裁委员会受理当事人的仲裁申请后，应当审查是否属于本仲裁委员会管辖。如果不属于本仲裁委员会管辖的，应当移送有管辖权的劳动争议仲裁委员会。

3. 申请人与申请仲裁的事项是否有直接利害关系。有直接利害关系是指申请人自己的劳动权利受到侵害或者与另一方当事人发生劳动争议。只有申请人是为了保护自己的劳动权利而申请仲裁，才是合格的申请人。

4. 有明确的被申请人。申请人提出仲裁申请，应当明确被申请人是谁，也就是说与谁发生劳动争议。

5. 具体的仲裁请求和事实、理由。仲裁请求是申请人想通过仲裁程序达到的目的，也就是向劳动争议仲裁委员会提出保护自己权利的具体内容。仲裁请求所根据的事实和理由包括：当事人之间纠纷形成的事实、双方当事人争执的焦点、请求的依据和理由及适用的法律等。

劳动争议仲裁委员会经过审查，认为符合上述条件的，就应当在收到仲裁申请之日起五日内受理。

这里规定的“五日”的劳动争议仲裁期间的期限较短，如果这些期间内还包含双休日或者法定节假日，除去双休日或者法定节假日占用的时间，则劳动争议仲裁机构很难在一两天时间内完成劳动争议案件仲裁受理所必需的一些前期准备工作，这将给劳动争议处理工作造成被动局面。因此，本条“五日”是指工作日，不含法定节假日。

工作日的计算除不包括一般的公休日外，还不包括法定节假日。法定节假日就是指法律明文规定必须给劳动者以休息假日的统一节日。根据2007年12月14日公布施行的《国务院关于修改〈全国年节及纪念日放假办法〉的决定》的规定,法定节假日主要是指全体公民放假的节日,这些假日包括:(1)新年,放假一天(1月1日);(2)春节,放假三天(农历除夕、正月初一、初二);(3)清明节,放假一天(农历清明当日);(4)劳动节,放假一天(5月1日);(5)端午节,放假一天(农历端午当日);(6)中秋节,放假一天(农历中秋当日);(7)国庆节,放假三天(10月1日、2日、3日)。全体公民放假的假日,如果适逢星期六、星期日,应当在工作日补假。例如,我国国庆节的法定假日为三天,如申请人于9月29日星期一提出劳动争议仲裁申请,劳动争议仲裁委员会如果认为其所申请仲裁的事项不在本法规定的劳动争议案件的受理范围之内,则应该在五个工作日内作出不予受理决定,并书面告知申请人,则劳动争议仲裁委员会作出不予受理决定的期限为9月30日到10月9日。其中除去了国庆节的三天假日和周六、周日两个公休日,包括了五个工作日。

本条中的法定节假日主要是指可能对劳动争议仲裁工作进程造成影响的全体公民放假的节日。法定节假日在我国还包括部分公民放假的节日及纪念日,主要为妇女节、青年节、儿童节、中国人民解放军建军纪念日等。部分公民放假的节日及纪念日,一般不会影响到劳动争议仲裁机构的工作进程,如果本条规定的"五日"劳动争议仲裁期间包含了这一部分节日,不会影响劳动争议仲裁期间的计算。

（三）不予受理

根据本条规定，劳动争议仲裁委员会认为不符合受理条件的，应当书面通知申请人不予受理，并说明理由。申请仲裁是申请人的一项重要的权利，也是处理劳动争议案件的必经程序，如果劳动争议仲裁委员会不予受理，就应当向申请人说明理由。由于申请人必须证明其已经历了申请仲裁的程序，才能向人民法院提起诉讼。因此，如果劳动争议仲裁委员会不予受理，应当书面通知申请人，并说明理由，便于申请人寻求司法救济。如果劳动争议仲裁委员会不在规定的时间内作出受理决定或者出具不予受理通知书，拖延了时间，使劳动争议双方的权利义务关系处于不确定状态，不利于劳动争议案件的处理，损害了当事人的合法权益。因此本条规定："对劳动仲裁委员会不予受理或者逾期未作出决定的，申请人可以就该劳动争议事项向人民法院提起诉讼。"根据这一规定，如果劳动争议仲裁委员会不予受理或者超过了五日没有向申请人出具不予受理通知书的，当事人即可以就劳动争议的内容向人民法院提起诉讼，进入诉讼程序，由人民法院审理劳动争议案件。应当注意的是，这样的规定也意味着如果劳动争议仲裁委员会既不受理，也不出具不予受理书面通知的，申请人可以直接向人民法院提起诉讼。

本法没有对不予受理或者逾期未作出是否受理决定的情况下，申请人向法院提出诉讼的期间作出规定。应当理解为提起诉讼的期间适用民事诉讼时效的规定。

第三十条　劳动争议仲裁委员会受理仲裁申请后，应当在五日内将仲裁申请书副本送达被申请人。

被申请人收到仲裁申请书副本后，应当在十日内向劳动争议仲裁委员会提交答辩书。劳动争议仲裁委员会收到答辩书后，应当在五日内将答辩书副本送达申请人。被申请人未提交答辩书的，不影响仲裁程序的进行。

【释义】　本条是关于受理后的仲裁准备工作的规定。

劳动争议仲裁委员会受理仲裁申请后，为了保证将来仲裁程序的顺利进行应当做好相应的准备工作。

1. 将仲裁申请书副本送达被申请人。

根据本条规定，劳动争议仲裁委员会受理仲裁申请后，应当在五日内将仲裁申请书副本送达被申请人。向被申请人送达申请书副本，目的在于使被申请人能了解申请人的仲裁请求和事实、理由，以便及时提出答辩，以维护自己的合法权益。如果申请人是口头申请仲裁的，劳动争议仲裁委员会也应在五日内将口述笔录的复制本发送被申请人，或者口头将申请人申请的内容通知被告。向被申请人送达仲裁申请书副本的期限从立案之次日起计算。

2. 被申请人提交答辩书。根据本条第二款的规定，被申请人收到仲裁申请书副本后，应当在十日内向劳动争议仲裁委员会提交答辩书。仲裁答辩是仲裁案件的被申请人为维护自己的权益，就申请人在仲裁申请书中提出的仲裁请求及所依据的事实、理由所作出的答复与反驳。答辩是本法赋予当事人的一项重要权利，被申请人的答辩，不仅是行使自己的权利,维护自己的权益的重要手段,而且也有利于仲裁庭了解案情,掌握双方当事人争执的焦点,从而查明事实真相,分清是非责任,公正合理地作出裁决,以维护当事人的合法权益。

被申请人的答辩应以书面的方式作出。仲裁答辩书是一种非常重要的仲裁文书。被申请人通过向劳动争议仲裁委员会提交仲裁答辩书,可以表明自己对申请人仲裁请求的态度,并有利于仲裁庭查明事实。正因为提交答辩书对于被申请人维护自己的合法权益有着重要的意义,为此被申请人应当给予仲裁答辩书以足够的重视。答辩既可以是实体方面的内容,也可以是程序方面的内容。在程序方面主要是申请人无权提起仲裁,劳动争议仲裁委员会无权管辖等。在实体方面重点是要针对申请人的仲裁请求及其所依据的事实和理由进行反驳和辩解,阐明自己的主张和根据,并可以提出反请求。一份完整、规范的仲裁答辩书主要由以下部分组成:(1)首部。主要包括标题和当事人基本情况。(2)案由。简要写明对何人提出的何仲裁案件进行答辩。(3)答辩意见。该部分应对申请人的仲裁请求进行明确答复,清楚地表明自己的态度,写明自己对案件的主张和理由。一般先陈述事实,再提出自己的意见,或承认其请求,或反驳其请求,对仲裁请求的反驳,既可以从实体上,也可以从程序上进行反驳,重点是揭示对方法律行为的错误之处,对方陈述的事实和依据的证据中的不是之处;提出相反的证据,说明自己法律行为的合法性;列举有关法律规定,论证自己主张的正确性,以便请求劳动争议仲裁委员会通过仲裁予以法律保护。从程序上反驳主要是说明申请人不能提请仲裁，仲裁庭对案件没有管辖权等方面。(4)反请求。若申请人有反请求，要具体写明反请求的各项内容及其所依据的事实证据和理由。(5)尾部。该部分应写明致送的劳动争议仲裁委员会的全称，在右下方写明答辩人的姓名，答辩人是法人或其他组织的，要写出其全称，并另行写出法定代表人或主要负责人的姓名、职务，如委托仲裁代理人，代理人也应签名、盖章，并注明年、月、日。在附项栏中写明附件的份数及名称并按顺序号装订在答辩书正文之后。

需要说明的是，提交答辩书时被申请人在仲裁中的一项权利，当事人可以提交答辩书，也可以不提交答辩书。根据本条的规定，被申请人未提交答辩书的，不影响仲裁程序的进行。在实践中，被申请人不做答辩的现象比较普遍，被申请人未提交答辩书的，不影响劳动争议仲裁委员会对案件的审理，也不影响仲裁程序的进行，这是保证开庭审理顺利进行的必要规定。

3. 劳动争议仲裁委员会收到答辩书后，应当在五日内将答辩书副本送达申请人。被申请人提出答辩书的期间自被申请人收到申请人的仲裁申请书副本之次日起计算。辩论是劳动争议双方当事人的一项权利。限期将仲裁申请书副本发送给被申请人，将答辩书副本发送给申请人，目的在于使申请人与被申请人及时了解对方申请或答辩的内容，从而使双方当事人真正在地位平等的基础上知己知彼，有助于双方当事人在开庭前为庭审做准备，有效地维护自己的合法权益。对劳动争议仲裁委员会来讲，这一工作有助于了解、掌握双方当事人的争议焦点，以便正确指挥庭审活动，保证庭审质量，提高庭审效率，有利于整个仲裁活动的顺利进行。

第三节 开庭和裁决

第三十一条 劳动争议仲裁委员会裁决劳动争议案件实行仲裁庭制。仲裁庭由三名仲裁员组成，设首席仲裁员。简单劳动争议案件可以由一名仲裁员独任仲裁。

【释义】 本条是关于劳动争议仲裁案件实行仲裁庭制的规定。

（一）仲裁庭制

众所周知，法院受理案件后，并不是由整个法院来对每一个具体案件进行审理，而是由审判员组成审判庭来对案件进行具体审理，同样，对于劳动争议案件，也不是由仲裁委员会来对每一个案件进行具体的裁决，而是由临时组成的仲裁庭来对劳动争议案件进行裁决，这也就是所谓的仲裁庭制。

本法第十九条规定，“聘任、解聘专职或者兼职仲裁员”“受理劳动争议案件”是劳动争议仲裁委员会的重要职责。根据上述规定，劳动争议仲裁委员会受理劳动争议案件后，根据案情的不同，在已聘任的仲裁员中选择一名或者三名组成临时性的仲裁庭，对该案件进行仲裁。仲裁庭不是仲裁委员会常设机构，而是用于对具体案件进行仲裁的临时性的办案组织形式。仲裁庭在仲裁委员会领导下处理劳动争议案件，实行一案一庭制。

（二）仲裁庭的组成

为保证仲裁活动的顺利进行，仲裁决定的公正、合理，当事人的合法权益得到有效维护，法律对仲裁庭的组成作出了严格的规定。根据本条的规定，仲裁庭的组成有两种形式，一种是合议庭，一种是独任庭。

1. 合议庭制

合议庭是指仲裁庭由三名仲裁员组成，且三名仲裁员中设一名首席仲裁员。合议庭制是对劳动争议案件进行仲裁时经常采用的组织形式。裁决劳动争议案件实行合议庭制，既有利于充分发挥集体智慧，对案件作出公正裁决，又有利于仲裁庭内部意见的集中与统一，及时对劳动争议案件作出裁决。同时，仲裁庭的组成人员规定为单数，是为了确保仲裁庭成员对案件的裁决有不同意见时，可根据少数服从多数的原则形成最终裁决，而不至于因仲裁庭内部意见无法统一而影响案件的及时裁决。

需要注意的是，劳动争议案件仲裁庭的产生方式和普通经济纠纷的仲裁庭的产生方式有着明显的区别。根据仲裁法的规定，仲裁委员会受理仲裁申请后，应当在仲裁规则规定的期限内将仲裁规则和仲裁员名册送达申请人，并将仲裁申请书副本和仲裁规则、仲裁员名册送达被申请人。当事人约定由三名仲裁员组成仲裁庭的，应当各自选定或者各自委托劳动争议仲裁委员会主任指定一名仲裁员，第三名仲裁员由当事人共同选定或者共同委托劳动争议仲裁委员会主任指定。第三名仲裁员是首席仲裁员。当事人约定由一名仲裁员成立仲裁庭的，应当由当事人共同选定或者共同委托劳动争议仲裁委员会主任指定仲裁员。本法没有规定由当事人选择仲裁员。草案曾经参照仲裁法的规定，明确可以由当事人选择仲裁员。但是在征求意见过程中，有的意见提出不应当由当事人选择仲裁员的规定。原因是：(1)劳动争议仲裁不同于民商事仲裁，是解决劳动争议的必经程序，仲裁员也主要是专职人员担任，劳动争议仲裁委员会的经费由财政保障，劳动争议仲裁中体现了公权力。(2)由当事人选择仲裁员，实践中经常会意见不一致，由此派生出额外争议，拖长了劳动争议的解决周期。(3)当事人选择仲裁员容易产生“相面取人”的现象，造成仲裁员接案数量不均，而且仲裁员办理案件的数量不会与工资报酬或者服务质量挂钩，这将不利于对仲裁员的管理，也不利于调动仲裁员的积极性。因此，最后本法没有规定由当事人选择仲裁员。当事人是否可以选择仲裁员可以由仲裁规则规定。有条件的地方应当允许当事人选择仲裁员。

2. 独任庭制

合议庭制虽然有利于集思广益，但有时也可能造成仲裁资源的浪费，不利于及时解决纠纷。因此，为提高仲裁活动的效率，及时对劳动争议案件作出裁决，发挥仲裁便捷及时解决争议的优势，本条同时规定对一些简单案件也可以采用另一种组织形式，即独任庭制。独任庭制，是指由一名仲裁员组成仲裁庭对简单劳动争议案件进行仲裁。由劳动争议仲裁的实践可以看出，独任制是一种比较迅速、便捷、经济的仲裁方式，对一些简单的劳动争议可以采用独任庭制，可以更为简便宜行地解决纠纷。《劳动争议仲裁委员会办事规则》第十六条对简单案件界定为“事实清楚，案情简单，适用法律法规明确”的劳动争议案件。这类案件由于双方当事人对案件事实争议不大，案情简单，如何适用法律法规明确，由一名仲裁员独任审理即可能做到仲裁的公正合理，且各地可根据本地区的实际情况，对简单劳动争议及其适用的较为简易的程序作出进一步的规定，如《北京市劳动争议仲裁办案规范规定》第一百零一条规定：“仲裁委员会对事实清楚、权利义务关系明确，争议不大的简单劳动争议案件，可以适用简易程序。”“事实清楚，是指当事人双方对争议的事实陈述基本一致，并能提供相应的证据，仲裁委员会即可判明事实、分清是非。权利义务关系明确，是指谁是责任的承担者，谁是权利的享有者，关系明确。争议不大，是指当事人对案件的是非、责任以及争议标的无原则分歧。”第一百零二条规定：“仲裁委员会受理的劳动争议案件，具有下列情况之一的，不能适用简易程序审理：（一）申诉时被诉人下落不明的案件；（二）十人以上的集体劳动争议案件；（三）在社会上有重大影响的案件；（四）区、县仲裁委员会移送市仲裁委员会的复杂、疑难案件。”同时规定：“简单案件在审理过程中，仲裁员发现案情复杂的，应向仲裁委员会办公室负责人报告，经批准另行组成合议庭审理。”

第三十二条　劳动争议仲裁委员会应当在受理仲裁申请之日起五日内将仲裁庭的组成情况书面通知当事人。

【释义】　本条是关于劳动仲裁委员会通知当事人仲裁

庭组成情况的规定。

劳动争议仲裁庭的组成由劳动争议仲裁委员会决定。当事人对谁担任仲裁员并不知道,对仲裁员的情况也并不了解,为了便于当事人对仲裁员的监督,保证仲裁活动的公正性,在仲裁庭组成后,劳动争议仲裁委员会应当将仲裁庭组成情况及时通知双方当事人。虽然该案件的仲裁庭组成人员已经确定,但仲裁庭只是一个对该案件进行仲裁的临时组织,所以对当事人的通知仍然是以劳动争议仲裁委员会的名义发出。

1. 书面通知

劳动争议仲裁委员会应当将仲裁庭的组成情况书面通知双方当事人。这里的“书面”通知包括以电报、电传、传真、信件或任何其他以文字表述的通知形式。以这种书面形式通知当事人,可以避免因通知方式的问题造成当事人对通知内容不清楚,或者出现通知错误的情况,影响其仲裁权利的行使。而且,在劳动争议仲裁委员会与被通知人就通知内容、时间、方式出现争议时,便于双方举证,明确责任。

仲裁与诉讼不同,一般情况下,审判庭由法官组成,法官是具有一定专业素养的专职审判人员,人们基于法院及其判决的权威性以及对法官这一职业的信任而对诉讼活动予以认可。但仲裁员与之不同,仲裁员有专职亦有兼职,且从目前的实践中来看兼职仲裁员为多数,以深圳市为例,6 个区级劳动争议仲裁机构只有专职仲裁员 51 名。劳动争议仲裁委员会将仲裁庭的组成情况告知双方当事人,有利于双方当事人了解仲裁员的背景情况,增加当事人对仲裁庭及其裁决的认可和信任，同时也是双方当事人行使回避申请权的前提，也便于当事人对仲裁员的监督，保障双方当事人的合法权利。如果当事人连仲裁庭组成情况都不得知悉，那么，因对仲裁员与其案件有某种利害关系，或者与另一方当事人有不正当接触而申请回避更是无从谈起；如果仅通知一方当事人仲裁庭的组成情况，那就是对另一方权利的不正当的消减，是对权利的重大侵害，也是程序上的重大瑕疵，另一方当事人甚至可以因此提出对撤销仲裁裁决的申请。

2. 通知时间

劳动争议仲裁委员会应当在受理仲裁申请之日起五日内将仲裁庭的组成情况通知当事人。为确保劳动争议在较短的时间得以解决，解决劳动争议仲裁周期过长的问题，本法对整个仲裁活动的期限以及仲裁活动各阶段的期限都作出了严格的限制。本法第二十九条规定，“劳动争议仲裁委员会收到仲裁申请之日起五日内，认为符合受理条件的，应当受理，并通知申请人”，在受理后的五日内，劳动争议仲裁委员会应组织双方当事人根据规定的程序选择仲裁员组成仲裁庭，并将仲裁庭的组成情况通知双方当事人。这里将劳动争议仲裁委员会通知仲裁庭组成情况的期限规定为五日，是从实践情况出发，经过多次征求意见，多方面考虑、协商后作出的规定。这样可使双方当事人和劳动争议仲裁委员会以较为宽裕的时间根据规定的程序选定仲裁员，组成仲裁庭。

第三十三条　仲裁员有下列情形之一的，应当回避，当事

人也有权以口头或者书面方式提出回避申请：

（一）是本案当事人或者当事人、代理人的近亲属的；

（二）与本案有利害关系的；

（三）与本案当事人、代理人有其他关系，可能影响公正裁决的；

（四）私自会见当事人、代理人，或者接受当事人、代理人的请客送礼的。

劳动争议仲裁委员会对回避申请应当及时作出决定，并以口头或者书面方式通知当事人。

【释义】 本条是关于仲裁员回避制度的规定。

回避制度是当事人监督仲裁庭成员的重要权利，也是保障仲裁程序公正的重要措施。规定回避制度主要是为了保证仲裁活动能够客观、公正地进行，保证案件得到正确的处理。我国的程序法都对回避制度作出了详细的规定。

仲裁员回避是指仲裁委员会在仲裁劳动争议案件时，仲裁庭成员认为自己不适宜参加本案审理的，依照法律的规定，自行申请退出仲裁，或者当事人认为由于某种原因仲裁庭成员可能存在裁决不公的情形，申请要求其退出仲裁活动。方式主要有两种：一是“自行回避”；二是“当事人提出回避”。“自行回避”是指仲裁庭成员知道自己具有应当回避的情形，自己向劳动争议仲裁委员会提出回避的申请，即主动说明情况，提出不参加案件的审理。“当事人提出回避”是指仲裁庭成员明知自己应当回避而不自行回避或者不知道、不认为自己具有应当回避的情形，因而没有自行回避的，仲裁案件的双方当事人，即劳动者和用人单位和他们的法定代理人有权向劳动争议仲裁委员会提出申请，要求他们回避。申请回避是法律赋予当事人及其法定代理人的一项基本权利，办案人员在办理案件时首先要向当事人及其法定代理人宣告这一项权利，任何人都不能剥夺当事人及其代理人申请回避的权利。

此外，参照民事诉讼法、仲裁法等法律有关回避的规定，回避应不仅适用于组成该案件仲裁庭的仲裁员，还应适用于劳动争议仲裁委员会的成员，包括书记员、鉴定人、勘验人，以及翻译人员。

本条规定回避的情形主要包括以下几个方面：

1. 是本案的当事人或者当事人、代理人的近亲属。这种情形主要指仲裁员本人是本案的当事人一方或当事人一方的代理人或者是他们的近亲属。如果办案人员是本承办案件的当事人或者当事人、代理人的近亲属，就有可能偏袒他的近亲属，使案件得不到公正解决，所以这样的办案人员，不能参与办理此案，应当回避。

所谓近亲属，是指与当事人、代理人血缘关系较近的亲属，是亲属关系中的一种。按照刑事诉讼法的规定，近亲属是指当事人的夫、妻、父、母、子、女、兄弟、姐妹，夫妻双方虽无血亲关系，但是夫妻是共同生活的伴侣，是血亲关系的渊源，因此，法律把夫妻也规定为近亲属。这里的“当事人”是指依据本法第二十二条规定，“发生劳动争议的劳动者和用人单位为劳动争议仲裁案件的双方当事人”，“劳动派遣单位或者用工单位与劳动者发生劳动争议的，劳动派遣单位和用工单位为共同当事人”。

2. 与本案有利害关系。与本案有利害关系是指审理本案的办案人员或者其近亲属与本案有某种利害关系，处理结果会涉及他们在法律上的利益。例如，王某为仲裁员，李某为申请人，张某为被申请人，李要求张支付工伤医疗费，而李某又与承办此案的王某发生过矛盾，若此案由王某审理，王某就有可能不顾事实和法律，作出对李某不利的裁决，从而达到个人的目的。为了审判活动的公正进行，与本案有利害关系的王某就应当回避，而李某也有权要求其回避。

3. 与本案当事人、代理人有其他关系，可能影响公正仲裁的。“其他关系”主要指以下几种情况：是当事人的朋友、亲戚、同学、同事等，或者曾经与当事人有过恩怨、与当事人有借贷关系等。“可能影响公正仲裁的”是“与本案当事人、代理人有其他关系”而应当回避的必要条件，即只有在可能影响公正处理案件的情况下，才适用回避。如仲裁员是当事人的朋友，则要看这种关系是否影响案件的公正审理，来决定是否回避。

4. 私自会见当事人、代理人，或者接受当事人、代理人的请客送礼的。近年来，由于受到社会不良风气的影响，一些办案人员中的少数意志薄弱者经不起考验，利用职权谋取私利的情况屡有发生，其中一个比较突出的问题就是办案人员与案件当事人发生一些不正常的联系，使案件不能得到公正的处理，甚至徇私枉法，践踏法律，群众反映强烈。针对这一问题，本条规定“私自会见当事人、代理人，或者接受当事人、代理人的请客送礼的”，当事人及其代理人有权要求他们回避。也就是说案件当事人及其代理人有证据证明办理此案的人员有上述行为，就有权要求他们回避，维护自己的合法权益。

由上述四项规定可以看出，适用回避的情形虽然有很多种，但实质却是相同的，那就是使人对其裁决的公正性产生足够的怀疑。在这种情形下，为保障劳动争议仲裁的公信力，有必要规定仲裁员的回避，以避免对裁决公正性的不必要的怀疑。

此外，本条还对回避的决定程序作出了规定。对于回避申请决定的形式包括以下三方面的内容：(1)回避申请决定权。本条规定，劳动争议仲裁委员会对回避申请应当及时做出决定，也就是说劳动争议仲裁委员会有权对回避的申请进行审查并作出准许或不准许的决定。本法没有对仲裁员回避的具体决定程序加以规定，可以参照1993年颁布的《劳动争议仲裁委员会办案规则》的规定，“仲裁委员会主任的回避，由仲裁委员会决定；仲裁委员会其他成员、仲裁员和其他人员的回避由仲裁委员会主任决定”。(2)决定回避申请作出的时间。本条规定“对回避申请应当及时作出决定”，这里没有规定具体的时日。参照1993年颁布的《劳动争议仲裁委员会办案规则》第十九条的规定，仲裁委员会或仲裁委员会主任对回避申请应在七日内作出决定。劳动保障部门在制定新的仲裁规则时可以予以明确。(3)关于通知的形式。本条规定了以口头或者书面方式通知当事人。

第三十四条　仲裁员有本法第三十三条第四项规定情形，或者有索贿受贿、徇私舞弊、枉法裁决行为的，应当依法承担法律责任。劳动争议仲裁委员会应当将其解聘。

【释义】　本条是关于仲裁员法律责任的规定。

(一)仲裁员责任的理论

关于仲裁员责任的理论观点主要有三种。

1. 认为仲裁员应当承担责任。持这种观点的主要是大陆法系国家的学者，这种观点以契约说为其倾向理论基础，认为当事人直接或间接地指定仲裁员为解决其争议服务，并为此支付费用，实际上形成一种默示的契约关系。仲裁员所实施的行为是一种专业行为，应承担专业小心责任和公正行为责任，即仲裁员因为不小心给当事人造成损失，或者接受贿赂，欺诈和滥用职权，则当事人可以撤销裁决或对裁决提出异议，并且要求仲裁员承担个人责任。相应的，在立法中规定仲裁员应当承担法律责任的也主要是大陆法系国家。奥地利民事诉讼法第584条规定，如果仲裁员不及时履行或不完全履行其在接受任命时所承担的职责，则要对由于他的错误拒绝或迟延给当事人造成的损失承担责任。

2. 认为仲裁员不应当承担责任。持这种观点的主要是英美法系国家的学者，以仲裁豁免论为其倾向性的理论基础。这种观点源于司法豁免论，认为仲裁员的仲裁行为豁免于民事责任，仲裁员对仲裁过程中因其过失或其他情况而导致的不公正裁决及给一方当事人带来的损失不承担任何个人责任。相应的立法中规定免除仲裁员的责任也主要是英美法系国家。美国最高法院的一项判决中指出，仲裁免责是为鼓励以仲裁方式解决争议的一项重要的联邦政策，在国际商事领域中尤为如此。在美国各州，如加利福尼亚州、科罗拉多州和佐治亚州的有关仲裁的立法中，也有关于仲裁员豁免于民事责任的规定。

3. 近年来，出现了一种新的观点，即有限豁免论，这种观点对上述两种观点以调和，认为仲裁员在一定范围内可以享受豁免，但超出一定范围的，则不免除其责任。

（二）我国目前法律法规的有关仲裁员责任的规定

目前在我国仲裁是解决劳动争议的一种重要手段，且多数情况下甚至是一种必经程序，具有独立、快捷、平和、费用低廉等特点。为了充分有效地发挥仲裁的自身优势，同时避免仲裁员滥用权力，必须在仲裁员承担责任与免除责任之间求得一种适当的平衡，即一方面给予仲裁员一定的豁免权，鼓励社会上符合条件的人员兼任劳动争议案件的仲裁员，另一方面规定仲裁员在一定情形下应当承担相应的法律责任，以对其裁决权形成监督和制约，维护仲裁的权威性和公信力。一般认为，作为仲裁员应当承担的责任主要包括当事人施加的责任、道德责任和法律责任。其中，法律责任是指由法律规定，由一定国家机关依法追究，必要时以国家强制力保证实施的责任形式，因其以国家强制力为后盾，成为最为严格、最为严厉的一种责任。

1. 承担法律责任的情形。根据本条的规定，劳动争议案件仲裁员应当承担法律责任的情形主要包括：私自会见当事人、代理人,或者接受当事人、代理人的请客送礼,索贿受贿,徇私舞弊,枉法裁决。这些行为不仅有损劳动仲裁公正、公开的原则,侵害当事人的合法权益,而且直接损害劳动仲裁的权威,因此,本条明确规定,仲裁员有上述情形的,应当承担法律责任。

2. 承担法律责任的形式。法律责任分为民事责任、刑事责任、行政责任和违宪责任。根据本法以及刑法、仲裁法等有关法律的规定,目前,在我国劳动争议案件仲裁员承担的法律责任主要是刑事责任。

刑事责任作为最严厉的法律责任,是仲裁责任的特殊情形。将刑事责任列入仲裁责任,在国际上也较为少见。2004年3月1日生效的日本仲裁法明确规定了仲裁员行贿、受贿以及向仲裁员行贿的犯罪及其相应的刑罚。2006年6月29日通过的《刑法修正案(六)》第二十条规定,在刑法第三百九十九条后增加一条,作为第三百九十九条之一:"依法承担仲裁职责的人员,在仲裁活动中故意违背事实和法律作枉法裁决,情节严重的,处三年以下有期徒刑或者拘役;情节特别严重的,处三年以上七年以下有期徒刑。"依照该条的规定,枉法仲裁罪的构成要件包括以下几点:(1)枉法仲裁罪侵犯的客体是正常的仲裁活动和仲裁秩序以及仲裁当事人的合法权益,属于渎职罪的一种。(2)枉法仲裁罪的客观方面表现为故意违背事实和法律作出枉法裁决,情节严重。(3)枉法仲裁罪的主体是承担仲裁职责的人员,即仲裁员。需要注意的是,本罪的主体是自然人,仲裁机构本身不是犯罪主体。

(4)枉法仲裁罪的主观方面只能是故意,过失不能构成本罪。

同时,本条还规定,仲裁员私自会见当事人、代理人,或者接受当事人、代理人的请客送礼的,或者有索贿受贿行为、徇私舞弊行为、枉法裁决行为的,应当将其解聘。因为仲裁员的上述行为不仅损害了当事人的合法权益,而且损害了仲裁的权威性和严肃性,降低了劳动仲裁在公众心目中的威信,因此,除了承担相应的法律责任外,也不能继续担任仲裁员,仲裁员委员会应当将其解聘。

第三十五条 仲裁庭应当在开庭五日前,将开庭日期、地点书面通知双方当事人。当事人有正当理由的,可以在开庭三日前请求延期开庭。是否延期,由劳动争议仲裁委员会决定。

【释义】 本条是关于开庭日期的规定。

(一)通知当事人开庭日期

仲裁庭应当在开庭五日前,将开庭日期、地点书面通知双方当事人。根据一案一庭的原则,此时针对该案件的仲裁庭已经成立,具体承担对案件的仲裁工作。仲裁庭成员应当认真审阅申诉、答辩材料,调查、收集证据,查明争议事实。遇有需要勘验或鉴定的问题,应交由法定部门勘验或鉴定;没有法定部门的,由劳动争议仲裁委员会委托有关部门勘验或鉴定。仲裁庭成员应当根据调查的事实,拟定处理方案,并根据法律对劳动争议仲裁案件仲裁期限的规定,合理确定开庭日期。在确定开庭日期后,仲裁庭应当在开庭五日前,将开庭日期、地点书面通知双方当事人。明确规定仲裁庭应当在开庭五日前通知当事人开庭日期、地点，一方面有利于当事人调查收集有关证据、资料，为开庭辩论、质证做准备，另一方面也便于当事人适当安排个人事务，以便按时出庭，体现了法律规定的人性化。关于通知的方式，本条明确规定为书面通知。

（二）延期开庭

延期开庭，是指当事人在仲裁庭通知其开庭审理日期后且开庭三日前，由于出现法定事由，导致仲裁审理程序无法按期进行的，提出延期审理的请求，经仲裁委员会同意，将仲裁审理推延到另一日期进行的行为。延期开庭由当事人提出请求后，仲裁庭作出决定，这里的当事人指双方当事人，既可以是申请人，也可以是被申请人。

延期开庭的请求应当在仲裁庭告知其开庭日期后且开庭三日前提出。延期开庭请求权行使的起始日期非常明确，只有在仲裁庭通知其开庭日期后才能行使，但对截止日期的规定却存在争议。如对提出延期开庭的请求时间的限制过于宽松，又扰乱仲裁庭及其仲裁员的正常工作秩序，特别是仲裁员多为兼职的情况下，延期开庭更是可能会给仲裁员带来很多的不便，同时也会给对方当事人参加仲裁造成影响。但如果规定得过于严格，又不利于存在正当理由的当事人行使延期开庭的请求权。因此规定为开庭三日前，是立法过程中从实际出发，多方面权衡，在两者之间寻求平衡点的结果。

本条规定当事人请求延期开庭的，应当有正当的理由，但本法并没有对正当的理由作出明确具体的规定。民事诉讼法

第一百三十二条规定:“有下列情形之一的,可以延期开庭审理:(一)必须到庭的当事人和其他诉讼参与人有正当理由没有到庭的;(二)当事人临时提出回避申请的;(三)需要通知新的证人到庭,调取新的证据,重新鉴定、勘验,或者需要补充调查的;(四)其他应当延期的情形。”参照上述规定,一般认为,正当理由主要包括以下几种情形:(1)当事人由于不可抗力的事由或其他特殊情况不能到庭的,例如当事人患重大疾病或遭受其他身体伤害影响其行使权利的;劳动者身边的条件存在紧急情形,如重大自然灾害、战争等对当事人出庭行使权利形成障碍的。(2)当事人在仲裁审理中临时提出回避申请的。申请回避是当事人的一项重要权利,一般来说当事人应当在知道仲裁庭成员名单后,开庭前提出回避。但有时,可能当事人当时并不知道仲裁员存在应当回避的情形,或者当事人可以申请回避的情形,如仲裁员接受另一方当事人贿赂等,发生在仲裁审理过程中的,一般认为,当事人仍有权提出回避申请。这时,劳动争议仲裁委员会应当对当事人的回避申请进行审查,作出是否同意其回避申请的决定。(3)需要调取新的证据进行需要重新鉴定、勘验的。实践中,劳动争议仲裁委员会应当参照有关法律法规的规定,结合实际情况,判断当事人的申请是否有正当理由。

当事人在法定期限内提出延期开庭的请求后,并不必然会导致仲裁开庭延期进行,而是由劳动争议仲裁委员会根据对当事人的申请是否有正当理由的判断,作出是否同意延期开庭的决定。这里需要注意的是,是否延期开庭的决定由劳动争议仲裁委员会作出,而并非是该案件的仲裁庭。

第三十六条　申请人收到书面通知,无正当理由拒不到庭或者未经仲裁庭同意中途退庭的,可以视为撤回仲裁申请。

被申请人收到书面通知,无正当理由拒不到庭或者未经仲裁庭同意中途退庭的,可以缺席裁决。

【释义】 本条是关于当事人无正当理由拒不到庭或者未经仲裁庭同意中途退庭如何处理的规定。

出庭参加仲裁开庭既是当事人的权利,也是当事人的义务。当事人应当根据仲裁庭通知的开庭日期、地点参加仲裁开庭审理。当事人不参加仲裁开庭审理的,应当根据其在仲裁案件中的地位,作出相应的处理,即对申请人可以视为撤回仲裁申请,对被申请人可以缺席裁决。

(一)视为撤回仲裁申请

《劳动争议仲裁委员会办案规则》第二十九条规定:“仲裁庭作出裁决前,申诉人申请撤诉的,仲裁庭审查后决定其撤诉是否成立。仲裁决定须在七日内完成。”申诉人申请撤诉是申诉人的一种权利,是申请人对其仲裁权利的积极处分;但行使该权利同时必须符合下列条件:必须是申诉人或经申诉人特别授权的代理人,以及有仲裁行为能力申诉人的法定代理人;必须是在劳动争议仲裁机构受理案件以后、仲裁调解或裁决之前;必须出自本人真实意愿并符合法律规定,不得侵犯对方当事人以及第三人的合法权益,不得规避法律。符合上述条件,撤诉才能成立。仲裁庭同意撤诉的应制作仲裁决定书，送达双方当事人。视为撤回仲裁申请，是指劳动争议仲裁的申请人虽然未主动提出撤回仲裁的申请，但是，申请人出现法律规定的情形用行为已经表明其不愿意继续进行仲裁的，可以按照申请人撤回仲裁申请处理，从而终结对劳动争议案件仲裁。根据本条的规定，申请人收到书面通知，无正当理由拒不到庭或者未经仲裁庭同意中途退庭的，可以视为申请人撤回仲裁申请。按撤回仲裁申请处理与当事人撤回仲裁申请具有同等的法律效力。

这里需要注意的是，申请人收到必须是书面的开庭通知，同时申请人不到庭并且无正当理由，或者申请人中途退庭未经仲裁庭同意的才可视为撤回仲裁申请。否则，可能会导致延期开庭，而不是视为撤回仲裁申请。

（二）缺席裁决

相对于申请人无正当理由拒不到庭或者未经仲裁庭同意中途退庭视为撤回申请，对于被申请人无正当理由拒不到庭或者未经仲裁庭同意中途退庭，本条规定仲裁庭可以缺席裁决。缺席裁决，是指只有一方当事人到庭参与仲裁审理时，仲裁庭仅就到庭的一方当事人进行调查、审查核实证据，听取意见，并对未到庭一方当事人提供的书面资料进行审查后，即作出仲裁裁决的仲裁活动。

同样需要注意的是，被申请人必须是经仲裁庭书面通知，无正当理由不到庭或者未经仲裁庭许可中途退庭的，才可以进行缺席裁决，否则也可能会导致延期开庭。

第三十七条　仲裁庭对专门性问题认为需要鉴定的，可以交由当事人约定的鉴定机构鉴定；当事人没有约定或者无法达成约定的，由仲裁庭指定的鉴定机构鉴定。

根据当事人的请求或者仲裁庭的要求，鉴定机构应当派鉴定人参加开庭。当事人经仲裁庭许可，可以向鉴定人提问。

【释义】　本条是关于劳动争议仲裁中鉴定问题的规定。

在诉讼及仲裁过程中，经常会遇到与案件有关的专门性问题，如文书的真伪、签名的真假、物品的价值、产品的质量、伤残的等级等，这些问题法官或者仲裁员无法运用自己的知识和经验来作出判断，必须由专业机构、专业人员运用专门知识、专业技能和职业经验进行鉴定。所谓鉴定，就是指鉴定主体根据司法机关、仲裁机构或者当事人的申请，通过对鉴定材料的观察、比较、检验、鉴别等专业性、技术性活动，对案件涉及的专门性问题进行分析、判断，作出鉴定结论的活动。常见的鉴定包括医学鉴定、痕迹鉴定、文书鉴定、会计鉴定、产品质量鉴定、事故鉴定等。劳动争议仲裁案件经常涉及的鉴定包括劳动能力鉴定、职业病鉴定等。

（一）鉴定的一般规定

本条就鉴定程序的启动、鉴定机构的确定、鉴定人参加开庭作了一般规定。

1. 鉴定程序的启动。根据本条规定，仲裁庭对专门性问题认为需要鉴定的，可以交由鉴定机构鉴定。这里包括两种情况：一是当事人就有关问题向仲裁庭提出鉴定申请，仲裁庭认为需要鉴定的；二是当事人没有就有关问题提出鉴定申请，但仲裁庭认为有关问题需要鉴定的。这两种情况都可以导致鉴定程序的启动。当然,在进入仲裁程序前,当事人也可自行委托鉴定。

2. 鉴定机构的确定。根据本条规定,首先应当按照当事人的约定确定鉴定机构;当事人没有约定或者无法达成约定的,由仲裁庭指定鉴定机构。约定或者指定的鉴定机构应当是依法取得相应资格的鉴定机构。

3. 鉴定人参加开庭。根据本条规定,当事人请求或者仲裁庭要求鉴定人参加开庭的,鉴定机构应当派负责此次鉴定的鉴定人参加开庭。当事人经仲裁庭许可,可以向鉴定人提问。鉴定人是一种特殊的证人,在国外被称作专家证人,有义务出庭作证,回答当事人的提问。当事人可以向仲裁庭申请由一至二名具有专门知识的人员出庭对鉴定人进行询问。

本条对劳动争议仲裁中的鉴定只作了原则规定,没有规定申请鉴定的期限、申请重新鉴定的条件等内容。根据本法第十八条的规定,国务院劳动行政部门可以依照本法有关规定制定仲裁规则对此加以规定。仲裁规则没有规定的,可以参照适用民事诉讼法及其司法解释的相关规定。目前,根据《最高人民法院关于民事诉讼证据的若干规定》(以下简称《证据规定》),当事人申请鉴定,应当在举证期限内提出。鉴定结论有下列情形之一的,当事人可以申请重新鉴定:(1)鉴定机构或者鉴定人员不具备相关的鉴定资格的;(2)鉴定程序严重违法的;(3)鉴定结论明显依据不足的;(4)经过质证认定不能作为证据使用的其他情形。对有缺陷的鉴定结论,可以通过补充鉴定、重新质证或者补充质证等方法解决的，不予重新鉴定。一方当事人自行委托有关部门作出的鉴定结论，另一方当事人有证据足以反驳的，可以申请重新鉴定。

第三十八条　当事人在仲裁过程中有权进行质证和辩论。质证和辩论终结时，首席仲裁员或者独任仲裁员应当征询当事人的最后意见。

【释义】 本条是关于劳动争议仲裁中质证和辩论问题的规定。

（一）当事人在仲裁过程中有权进行质证

证据应当在法庭上出示，由当事人质证。未经质证的证据，不能作为认定案件事实的依据。这里的质证是指当事人在仲裁庭的主持下，对对方当事人提供的证据的真实性、关联性和合法性提出质疑，否定其证明力的活动。在质证过程中，当事人需要指出对方当事人提供的证据存在的问题，通过否定其真实性、关联性和合法性来否定其证明力。同时，针对对方提出的质疑，当事人需要作出回应，论证己方提供的证据的真实性、关联性和合法性。因此质证是通过双方的互相质疑和自我辩护，审查证据的真实性、关联性和合法性，判断其证明力，去伪存真的过程。质证时，当事人应当围绕证据的真实性、关联性、合法性，针对证据证明力有无以及证明力大小，进行质疑、说明与辩驳。质证按下列顺序进行：（1）申请人出示证据，被申请人、第三人与申请人进行质证；（2）被申请人出示证据，申请人、第三人与被申请人进行质证；（3）第三人出示证据，申请人、被申请人与第三人进行质证。案件有两个以上独立的请求的，当事人可以逐个出示证据进行质证。仲裁庭应当将当事人的质证情况记入笔录，并由当事人核对后签名或者盖章。

证人应当出庭作证，接受当事人的质询。证人因年迈体弱或者行动不便、特殊岗位确实无法离开、路途特别遥远交通不便、自然灾害等不可抗力或者其他特殊情况，确实不能出庭的，经仲裁庭许可，可以以出具书面证言等方式作证。出庭作证的证人应当客观陈述其亲身感知的事实。证人作证时，不得使用猜测、推断或者评论性的语言。仲裁庭应当告知证人如实作证的义务以及作伪证的法律后果。不能正确表达意志的人，不能作为证人。待证事实与其年龄、智力状况或者精神健康状况相适应的无民事行为能力人和限制民事行为能力人，可以作为证人。证人为聋哑人的，可以其他表达方式作证。仲裁员和当事人可以对证人进行询问。证人不得旁听仲裁庭审理；询问证人时，其他证人不得在场。仲裁庭认为有必要的，可以让证人进行对质。

鉴定人应当出庭接受当事人质询。鉴定人确因特殊原因无法出庭的，经仲裁庭准许，可以书面答复当事人的质询。

经仲裁庭许可，当事人可以向证人、鉴定人、勘验人发问。询问证人、鉴定人、勘验人不得使用威胁、侮辱及不适当引导证人的言语和方式。

当事人可以向仲裁庭申请由一至二名具有专门知识的人员出庭就案件的专门性问题进行说明。仲裁员和当事人可以对出庭的具有专门知识的人员进行询问。经仲裁庭准许,可以由当事人各自申请的具有专门知识的人员就案件中的问题进行对质。具有专门知识的人员可以对鉴定人进行询问。

对书证、物证、视听资料进行质证时,当事人有权要求出示证据的原件或者原物。但有下列情况之一的除外:(1)出示原件或者原物确有困难并经仲裁庭准许出示复制件或者复制品的;(2)原件或者原物已不存在,但有证据证明复制件、复制品与原件或原物一致的。

(二)当事人在仲裁过程中有权进行辩论

事实愈辩愈明,法理愈辩愈明。这里的辩论是指在仲裁庭的主持下,双方当事人就争议的事实认定问题和法律适用问题,各自陈述己方的主张和根据,挑战对方的主张和根据,对对方的挑战进行反驳,以维护己方的合法权益的活动。通过双方当事人的辩论,仲裁庭可以进一步查清事实,确定定案的根据,正确适用法律,最终作出公正的裁决。

辩论由双方当事人及其代理人依次进行。辩论的顺序,可参照民事诉讼法的顺序:

1. 申请人及其代理人发言。申请人及其代理人的发言,主要是针对事实和证据、应当适用的法律,发表自己的意见。

2. 被申请人及其代理人答辩。被申请人及其代理人的答辩主要是针对申请人及其代理人的主张进行的。内容主要是驳斥申请人及其代理人的主张,为自己的主张辩护。

3. 第三人及其代理人发言或者答辩。有第三人参加仲裁的,申请人和被申请人发言、答辩完毕后,仲裁庭应当请第三人就案件事实和应当适用的法律等问题,发表意见,阐述主张。

4. 双方当事人及第三人互相辩论。经过上述程序后,仲裁庭应当让双方当事人及第三人就本案的问题互相发问。辩论的顺序原则上还是申请人及其代理人、被申请人及其代理人、第三人及其代理人。

第一轮辩论结束,首席仲裁员或者独任仲裁员应当询问当事人是否还有补充意见。当事人要求继续发言的,应当允许,但当事人不得重复第一轮的发言。一轮辩论结束后当事人要求继续辩论的,可以进行下一轮辩论。下一轮辩论不得重复上一轮的内容。

仲裁庭应当引导当事人围绕案件争议焦点进行辩论。必要时,仲裁庭可以限定当事人及其代理人发表意见的时间。仲裁庭应当保证双方平等地进行辩论。在辩论过程中,仲裁员不得就双方争议的问题发表意见,不得与当事人辩论。当事人不得滥用辩论权利,无理狡辩,互相争吵,哄闹滋事;不得发表与争议焦点无关的意见,不得重复已经发表的意见。

(三)质证和辩论终结时,应当征询当事人的最后意见

质证和辩论终结时,首席仲裁员或者独任仲裁员应当按照申请人、被申请人、第三人的顺序,征询他们各自的最后意见,以充分保证当事人发表意见的权利。

一般而言,质证是事实调查阶段的重要程序,辩论是在事实调查的基础上进行的。但是在实践中,二者并无严格界限。为缩短开庭时间,避免调查阶段和辩论阶段在一些问题上的

重复，对一些争议问题较多的案件，可以将调查和辩论结合进行。如果在辩论过程中，发现新的事实需要进一步调查的，可以停止辩论，恢复调查，待事实查清后再进行辩论。

第三十九条　当事人提供的证据经查证属实的，仲裁庭应当将其作为认定事实的根据。

劳动者无法提供由用人单位掌握管理的与仲裁请求有关的证据，仲裁庭可以要求用人单位在指定期限内提供。用人单位在指定期限内不提供的，应当承担不利后果。

【释义】　本条是关于劳动争议仲裁中证据问题的规定。

（一）查证属实的证据应当作为认定事实的根据

证据是指证明主体提供的用来证明案件事实的材料。证据经查证属实的，才能作为仲裁庭认定事实的根据。所谓查证属实是指证据在仲裁庭的主持下，经当事人出示、对方质证和仲裁庭认证，认为证据具有真实性、关联性和合法性。

1. 真实性。证据是证明待证事实的材料，证据又是客观存在的材料，而不是任何人主观臆造的产物。因此它必须是真实可靠的，否则以它为根据认定的案件事实就不可能是客观真实的。

2. 关联性。证据必须与案件事实有内在的联系。这种内在的联系表现在，证据应当能够证明本案的部分或全部事实。缺乏关联性的证据，不是本案的证据，对本案没有证明力。

3. 合法性。证据的合法性主要表现在证据的取得必须符合法律规定的程序，不能侵害他人的合法权益。以侵害他人合法权益或者违反法律禁止性规定的方法取得的证据，不能作为认定案件事实的依据。

当事人提供的证据具有真实性、关联性和合法性的，仲裁庭应当将其作为认定事实的根据。仲裁员应当依照法定程序，全面、客观地审核证据，依据法律的规定，遵循仲裁员职业道德，运用逻辑推理和日常生活经验，对证据有无证明力和证明力大小独立进行判断，并公开判断的理由和结果。

仲裁员对单一证据可以从下列方面进行审核认定：(1)证据是否原件、原物，复印件、复制品与原件、原物是否相符；(2)证据与本案事实是否相关；(3)证据的形式、来源是否符合法律规定；(4)证据的内容是否真实；(5)证人或者提供证据的人，与当事人有无利害关系。

仲裁员对案件的全部证据，应当从各证据与案件事实的关联程度、各证据之间的联系等方面进行综合审查判断。

下列证据不能单独作为认定案件事实的依据：(1)未成年人所作的与其年龄和智力状况不相当的证言；(2)与一方当事人或者其代理人有利害关系的证人出具的证言；(3)存有疑点的视听资料；(4)无法与原件、原物核对的复印件、复制品；(5)无正当理由未出庭作证的证人证言。当事人对自己的主张，只有本人陈述而不能提出其他相关证据的，其主张不予支持。但对方当事人认可的除外。

双方当事人对同一事实分别举出相反的证明，但都没有足够的依据否定对方证据的，仲裁委员会应当结合案件情况，判断一方提供证据的证明力是否明显大于另一方提供证据的证明力,并对证明力较大的证据予以确认。数个证据对同一事实的证明力大小,可以依照下列原则认定:(1)国家机关、社会团体依职权制作的公文书证的证明力一般大于其他书证;(2)物证、档案、鉴定结论、勘验笔录或者经过公证、登记的书证,其证明力一般大于其他书证、视听资料和证人证言;(3)原始证据的证明力一般大于传来证据;(4)直接证据的证明力一般大于间接证据;(5)证人提供的对与其有亲属或者其他密切关系的当事人有利的证言,其证明力一般小于其他证人证言。因证据的证明力无法判断导致争议事实难以认定的,仲裁委员会应当依据举证责任分配原则作出裁决。

(二)劳动争议仲裁涉及的证据种类

劳动争议仲裁涉及的证据种类包括书证、物证、视听资料、证人证言、当事人陈述、鉴定结论、勘验笔录等。

1. 书证。书证是用文字、符号、图案等所表达的思想内容来证明案件事实的证据,如书信、文件、合同书、遗嘱、票据等。相对于其他证据种类,书证具有较强的证明力,在劳动争议仲裁中具有重要价值。在劳动争议仲裁中,劳动合同文本是证明劳动关系存在的最有力的证据。

2. 物证。物证是以物品的外形、结构、质量、数量等物理属性来证明案件事实的证据。物证和书证在形式上都表现为一定的物质实体,但二者有质的区别。物证与书证的区别在于,物证是以物品的物理属性来证明案件事实的,而书证是以物品的思想内容来证明案件事实的。在某些情况下,某些证据可能既是书证,又是物证。例如,手写的劳动合同书,如果用来证明劳动者与用人单位之间的权利义务关系，则是书证；如果用来证明书写者的书写习惯，则是物证。

3. 视听资料。视听资料是指用录音、录像、计算机存储等方法记录下来的有关案件事实的音像、数据资料，如录音带、录像带等。视听资料与书证都是以记录的内容证明案件事实，但书证是以文字、符号等来再现案件事实，而视听资料则以直观的声音、图像等来再现案件事实。

4. 证人证言。证人证言是指证人就其了解的案件事实以口头或者书面方式向仲裁庭所作的陈述。证人只能就其直接感知的客观事实如实陈述，证人主观的推测、评价，以及道听途说的事实，不具有证据效力。例如申请人同厂职工所作的申请人曾在该工厂工作的证言。

5. 当事人陈述。当事人陈述是指当事人就案件事实向仲裁庭所作的叙述和说明。由于当事人最了解案件事实，因此当事人陈述是查清案件事实的重要线索。同时，也由于当事人与案件事实之间具有直接利害关系，因此当事人陈述难免带有很强的倾向性、片面性甚至虚假性。因此当事人陈述只有与其他证据结合起来，才能作为认定事实的根据。

6. 鉴定结论。鉴定结论是指鉴定主体根据仲裁庭或者当事人的申请，在对鉴定材料进行观察、比较、检验、鉴别等的基础上，对案件涉及的专门性问题进行分析、判断后作出的结论。劳动争议仲裁案件经常涉及的鉴定结论包括劳动能力鉴定结论、职业病鉴定结论等。

7. 勘验笔录。勘验笔录是指在仲裁庭的主持下，勘验人对案件发生的现场或者不便移动的物证采取勘察、检验、绘图、拍照等措施时所形成的实况记录。勘验是在仲裁庭的主持下和双方当事人的见证下进行的,能够比较真实地反映现场或者物证的客观情况,具有较强的证明力。制作勘验笔录是保全原始证据的重要手段。

（三）用人单位应当提供由其掌握管理的证据

目前,用人单位扣押劳动者的劳动合同书等本应由劳动者保管的文书的现象比较普遍,在劳动争议发生后用人单位往往拒不提供由其管理的对劳动者有利的关键证据,导致劳动者举证不能,无法维护自身的合法权益。针对这种情况,本条规定,劳动者无法提供由用人单位掌握管理的与仲裁请求有关的证据,仲裁庭可以要求用人单位在指定期限内提供;用人单位在指定期限内不提供的,应当承担不利后果。

需要注意的是,《证据规定》第七十五条规定:“有证据证明一方当事人持有证据无正当理由拒不提供,如果对方当事人主张该证据的内容不利于证据持有人,可以推定该主张成立。”这一规定被称为“证据不利推定规则”。按照证据不利推定规则,劳动者有证据证明用人单位持有与仲裁请求有关的证据,而用人单位拒不提供的,应当承担不利后果。

另外,根据《证据规定》第六条的规定,在劳动争议案件中,因用人单位作出开除、除名、辞退、解除劳动合同、减少劳动报酬、计算劳动者工作年限等决定而发生劳动争议的,用人单位有责任提供证据;用人单位提供的证据不能证明所主张的事实的,可以推定劳动者的主张成立。

本条第二款的规定是总则第六条规定在仲裁程序中的具体化，适用时应结合第六条的规定理解。

第四十条　仲裁庭应当将开庭情况记入笔录。当事人和其他仲裁参加人认为对自己陈述的记录有遗漏或者差错的，有权申请补正。如果不予补正，应当记录该申请。

笔录由仲裁员、记录人员、当事人和其他仲裁参加人签名或者盖章。

【释义】　本条是关于劳动争议仲裁开庭笔录的规定。

开庭笔录是仲裁庭记录人员制作的，如实反映仲裁庭开庭审理劳动争议案件过程中仲裁员、当事人以及其他仲裁参加人陈述意见、互相质证、进行辩论、变更请求、庭前调解等活动的书面记录。

（一）仲裁庭应当将开庭情况如实记入笔录

开庭笔录是开庭过程全部活动的反映，可以有效地固定证据，防止当事人事后对自己的言行不予承认，对当事人的言行也是一种约束。同时，开庭笔录是仲裁庭作出裁决的重要依据，也为以后的审判监督程序提供了原始资料。因此开庭笔录必须全面、准确、真实、清楚。记录人员必须忠实于庭审过程的实际情况，对仲裁员、当事人的言论，均应尽量记录原话，不得随意引申、发挥。开庭笔录的用语应使用规范语言，尽量不要使用方言俗语。

开庭笔录应当记明下列内容：案由；开庭时间、地点；仲裁员、记录人员姓名；当事人姓名、性别、年龄、民族、职业、住所、到庭情况；首席仲裁员或者独任仲裁员告知当事人的仲裁权利义务，以及是否申请仲裁员回避的情况；当事人陈述、证人作证、出示证据、宣读鉴定结论、宣读勘验笔录以及当事人互相质证的情况；当事人辩论的情况；当事人增加、变更、撤回仲裁请求的情况；先行调解的，应当记明调解的过程；当庭裁决的，应当记明裁决内容、当事人对裁决的声明；仲裁员、记录人员、当事人以及其他仲裁参加人的签名或者盖章，或者拒绝签名或者盖章的情况。

（二）当事人和其他仲裁参加人有权申请补正

当事人以及其他仲裁参加人有权了解开庭笔录的内容，同时为了保证开庭笔录的准确性，开庭笔录应当当庭宣读，也可以告知当事人和其他仲裁参加人当庭或者在五日内阅读。当事人和其他仲裁参加人认为开庭笔录对自己陈述的记录有遗漏或者差错的，有权申请补正。

经核实，如果仲裁庭认为确有遗漏或者差错，同意补正的，由记录人员将补正的内容和补正的经过记入笔录；如果仲裁庭认为没有遗漏或者差错，不同意补正的，由记录人员将申请的内容和不同意补正的理由记入笔录。

（三）开庭笔录应当由仲裁参加人签名或者盖章

开庭结束后，仲裁员、记录人员、当事人和其他仲裁参加人应当在开庭笔录上签名或者盖章。

当事人和其他仲裁参加人核对开庭笔录后，认为有遗漏或者差错的，可以申请补正；如果仲裁庭不予补正，当事人和其他仲裁参加人拒绝签名或者盖章的，记录人员应当在开庭笔录中予以说明。当事人和其他仲裁参加人认为没有遗漏或者差错,或者虽有遗漏或者差错但已补正的,应当在开庭笔录上签名或者盖章。

开庭笔录必须全面、准确、真实、清楚地反映仲裁庭开庭审理劳动争议案件过程中仲裁员、当事人以及其他仲裁参加人的活动。如果认为有遗漏或者差错,当事人和其他仲裁参加人有权申请补正。是否予以补正,由仲裁庭根据庭审情况作出决定。

第四十一条　当事人申请劳动争议仲裁后,可以自行和解。达成和解协议的,可以撤回仲裁申请。

【释义】　本条是关于劳动争议仲裁中当事人自行和解的规定。

劳动争议仲裁当事人自行和解是指在劳动争议案件中,一方当事人申请劳动争议仲裁后,当事人之间通过协商就已经提交仲裁的劳动争议自行达成解决方案的行为。和解具有体现当事人合意、尊重当事人处分权、解决纠纷较为彻底、节约仲裁司法资源、有利于社会和谐等优点,因此在许多国家被广泛运用。有关资料显示,在美国,近90%以上的民事案件是通过和解方式解决的。本条专门对和解作出规定,就是为了让和解这种纠纷解决方式在劳动争议仲裁中发挥更为重要的作用。

和解和调解都是当事人在自愿和享有处分权的前提下,通过平等协商、互相妥协达成的,但二者又有一些区别:

1. 是否由仲裁庭主持不同。和解是当事人自行通过协商达成解决方案的活动,而调解是当事人在仲裁庭的主持下达成解决方案的活动。

2. 发生的阶段不同。和解可以发生在当事人申请仲裁后到裁决作出前的任一阶段,可以在开庭时,也可以在开庭前或开庭后;而调解只能发生在仲裁庭作出裁决前的那一阶段。

3. 达成协议后结案的方式不同。和解达成和解协议后当事人撤回仲裁申请的,劳动争议仲裁即结案;而调解达成调解协议后仲裁庭制作调解书的,劳动争议仲裁即结案。

需要注意的是,本法第四十二条第二款规定,当事人经仲裁庭调解达成协议的,仲裁庭应当制作调解书;那么,当事人达成和解协议后是否可以申请仲裁庭根据和解协议制作调解书?本条没有规定,但按照法理,和解和调解都是当事人在自愿和享有处分权的前提下,通过平等协商、互相妥协达成的,区别只是在是否由仲裁庭主持等形式上,这只是达成方式的区别,不是法律属性的区别。二者所达到的效果是一样的。因此,当事人申请仲裁庭根据和解协议制作调解书的,仲裁庭经对和解协议依法进行审查,确认意思真实、合法有效后,仲裁庭可以根据和解协议制作调解书。民事诉讼法相关司法解释已有这样的规定。《最高人民法院关于人民法院民事调解工作若干问题的规定》第四条规定:“当事人在诉讼过程中自行达成和解协议的,人民法院可以根据当事人的申请依法确认和解协议制作调解书。”仲裁庭对和解协议进行审查的内容应当包括:协议是否违反了法律、行政法规的强制性规定,是否侵害国家利益和社会公共利益；协议内容是否属于当事人处分权的范畴；当事人争议的法律关系是否涉及案外人的权益；协议指定转移的财产上是否存在案外人权利；协议内容是否符合善良风俗和公共道德；调解是否存在明显违反当事人真实意思的情形等。仲裁庭对和解协议审查确认后制作的调解书，应当由仲裁员签名，并加盖劳动争议仲裁委员会的印章。调解书应当写明仲裁请求和当事人协议的结果。

另外，当事人自行和解达成和解协议并撤回仲裁申请后，如果一方当事人逾期不履行，另一方当事人是否可以向劳动争议仲裁机构重新申请仲裁？从仲裁原理上讲，当事人撤回仲裁申请，处分的只是自己的程序权利，并未处分自己的实体权利，仲裁机构也未对当事人之间的争议作出实体的处理。因此，当事人撤回仲裁申请后，如果一方当事人逾期不履行仲裁协议，另一方当事人可以向劳动争议仲裁机构重新申请仲裁。由于和解协议不具有强制执行力，因此当事人不能直接向人民法院申请强制执行。但是，仲裁庭根据当事人的申请，对和解协议进行审查确认后制作的调解书，具有强制执行力，一方当事人逾期不履行的，另一方当事人可以依照民事诉讼法的有关规定直接向人民法院申请强制执行。

在劳动争议仲裁案件中，当事人通过自行和解的方式解决劳动争议，可以充分体现当事人的主体地位和处分权利；程序上简便易行，节约了双方当事人的时间和费用，也节约了社会成本；与作出仲裁裁决相比，由于和解是建立在平等自愿的基础上的，因此这种争议的解决结果更容易为双方当事人接受,也更容易得到执行。劳动争议仲裁机构应当鼓励和支持当事人通过自行和解的方式解决劳动争议。当事人达成的和解协议符合法律规定的,具有合同效力,劳动争议仲裁机构应当认可。当事人申请仲裁庭根据和解协议制作调解书的,仲裁庭经审查,确认和解协议合法有效的,应当根据和解协议制作调解书。仲裁庭根据和解协议制作的调解书具有强制执行力,一方当事人逾期不履行的,另一方当事人可以依照民事诉讼法的有关规定向人民法院申请执行。

第四十二条　仲裁庭在作出裁决前,应当先行调解。

调解达成协议的,仲裁庭应当制作调解书。

调解书应当写明仲裁请求和当事人协议的结果。调解书由仲裁员签名,加盖劳动争议仲裁委员会印章,送达双方当事人。调解书经双方当事人签收后,发生法律效力。

调解不成或者调解书送达前,一方当事人反悔的,仲裁庭应当及时作出裁决。

【释义】　本条是关于在仲裁程序中进行调解的规定。

仲裁庭在作出裁决前,应当先行调解。调解一方面是一种审理活动,另一方面又是一种结案方式。通过仲裁调解形式解决纠纷,既有利于增强当事人之间的团结,减少当事人之间的隔阂,防止矛盾的激化;同时也有利于彻底解决纠纷和提高办案效率,避免仲裁案件的拖延解决,从而节省人力、物力、财力,提高仲裁效率。

在我国的商事仲裁中,仲裁过程中是否采取调解方式解决纠纷,由当事人自己决定。既可以由当事人提出要求仲裁庭调解,也可以由仲裁庭提出仲裁调解的意见,以征询双方当事人是否同意,不得强迫。与一般商事仲裁中当事人可以自愿选择调解不同,调解在劳动争议仲裁中是法定的、必需的,法律明确规定了“仲裁庭在作出裁决前,应当先行调解”。这体现了劳动争议仲裁自身的特点,以便于方便、及时地解决劳动争议。

仲裁庭调解纠纷,应当坚持查清事实、分清是非的原则,在事实清楚的基础上分清是非进行调解,不能强迫当事人接受其意见,更不能“和稀泥”。另外,调解协议的内容要合法,即仲裁庭行使调解权使双方当事人达成的调解协议的内容不得违反法律、法规和国家政策的规定,不得损害国家、集体和个人的合法权益。调解是借助仲裁员的适当引导在双方当事人之间的友好协商的一种延伸,为了达到理想的妥协,双方当事人需要互谅互让,但相互谅解和让步应以公平合理为限,不得违反国家有关法律法规,不得损害国家、集体或他人的合法权益。如果一方当事人坚持不让,甚至提出另一方当事人无法接受的调解先决条件,或者要求另一方无原则地作出不合理的牺牲或让步,必然会损害到另一方的合法利益。

具体而言,劳动争议仲裁案件中的调解程序一般如下:(1)确定或者建议适当的调解方式。在调解程序中,仲裁员相互之间、仲裁员与当事人之间以及当事人双方之间可以协商适当的调解方式。调解可以通过书面或者面对面等方式进行。(2)分清是非曲直。仲裁员应当查清案件事实,分清责任，听取当事人的陈述和申辩。(3)提出建议方案。仲裁庭应当遵循客观、公平和公正的原则，提出解决争议的具体建议，供当事人参考或者接受。(4)制作调解书或者恢复仲裁。调解成功、达成协议的，仲裁庭应当制作调解书。调解不成功的，仲裁庭应当及时宣布调解终结，迅速恢复仲裁程序，防止久调不决。

本法规定，调解达成协议的，仲裁庭应当制作调解书。调解书是指仲裁庭制作的记载对当事人劳动争议进行调解的过程和结果的具有约束力的法律文书，是经双方当事人协商并经仲裁庭批准的协议。与裁决书一经作出就发生法律效力不同，调解书不是作成后马上生效，而是要由双方当事人签收后才生效。调解书应当载明仲裁请求和当事人协议的结果。调解书应当由仲裁员签名，并加盖劳动争议仲裁委员会的印章，送达双方当事人。调解书与裁决书虽然法律效力相同，但在何时生效上却不同，调解书并非作出后马上生效，而是要等到当事人签收后才生效，而且要求双方当事人签收，也就是说，既不是一方当事人签收就对该方生效，也不是一方签收就对双方生效，而是只要一方未签收就对双方都无效，只有双方都签收，才对双方都有效。

调解书的法律效力主要表现在：(1)使仲裁程序终结。调解书一经生效，仲裁程序即告结束，仲裁机构便不再对该案进行审理。这是调解书在程序上的法律后果。(2)纠纷当事人的权利义务关系被确定。这是调解书在实体上的法律后果。(3)任何机关或组织都要在重新处理该案方面受调解书约束。也就是说,对于仲裁机构出具了调解书的争议,任何机关或组织都不得再做处理。

既然调解书须经签收后生效,因此调解书一经签收,当事人不得反悔,但在签收之前应当允许当事人反悔。调解不成或调解书送达前一方当事人反悔的,仲裁庭应及时作出裁决。这是因为达成调解协议的过程就是仲裁庭的审理过程,制作调解书时实际上审理已经完毕。所以当事人拒绝签收调解书时,仲裁庭没有必要再经过仲裁程序重复已经完成的审理,而直接裁决即可。因当事人拒绝签收调解书而使调解无效时,仲裁庭可以直接裁决,以免久调不决,使当事人的权利义务关系长期处于不确定状态。

一般情况下,调解程序在下列情形下终止:(1)当事人达成调解协议,由仲裁庭制作调解书并送达双方当事人,经双方签署后,调解程序终止;(2)一方或双方当事人明确表示拒绝调解的,调解程序终止;(3)仲裁庭根据实际情况认为不宜调解,明确告知双方当事人。第一种情况下的终止,标志着案件审理完毕;后两种情况下,调解程序终止后,审理活动自动转入仲裁程序。

第四十三条　仲裁庭裁决劳动争议案件,应当自劳动争议仲裁委员会受理仲裁申请之日起四十五日内结束。案情复杂需要延期的,经劳动争议仲裁委员会主任批准,可以延期并书面通知当事人,但是延长期限不得超过十五日。逾期未作出仲裁裁决的,当事人可以就该劳动争议事项向人民法院提

起诉讼。

仲裁庭裁决劳动争议案件时，其中一部分事实已经清楚，可以就该部分先行裁决。

【释义】　本条是关于仲裁庭裁决劳动争议案件审理期限和先行裁决的规定。

规定劳动争议仲裁委员会审理劳动争议案件的审理期限，对于保护劳动者和用人单位的合法权益，维护经济秩序、社会秩序有重要意义。这是因为，劳动争议案件如果得不到及时处理，容易引起矛盾激化，不利于社会秩序的稳定，不利于保护当事人的合法权益。

为了防止劳动争议仲裁委员会不立案、拖延立案，本法规定了仲裁庭审理劳动争议案件的期间为自劳动争议仲裁委员会受理仲裁申请之日起四十五日。而《企业劳动争议处理条例》第二十五条规定："仲裁委员会应当自收到申请书之日起七日内做出受理或者不予受理的决定。仲裁委员会决定受理的，应当自作出决定之日起七日内将申诉书的副本送达被诉人，并组成仲裁庭；决定不予受理的，应当说明理由……"同时，在第三十二条规定："仲裁庭处理劳动争议，应当自组成仲裁庭之日起六十日内结束。案情复杂需要延期的，经报仲裁委员会批准，可以适当延期，但是延长的期限不得超过三十日。"从以上的仲裁期限看，一般情况下，仲裁委员会自收到当事人的申请书之日起七十四天才可以结案，最长的审理期限为一百零四天。与《企业劳动争议处理条例》相比，本法大大缩短了审理期限，更有利于及时保护劳动者的合法权益，有利于及时、快捷地解决劳动争议,防止推诿和久拖不决。

本法规定,仲裁庭逾期未作出仲裁裁决的,当事人可以向人民法院提起诉讼。"逾期"中的期限,可以根据是否需要延期区分为两种情况:对于案情不复杂、不需要延期的,这里的期限就是四十五日;对于案情复杂需要延期并经劳动争议仲裁委员会主任批准的,期限就是六十日。仲裁庭逾期未作出仲裁裁决的,当事人可以向人民法院提起诉讼,有利于防止案件在仲裁阶段久拖不决,也有利于更好地维护当事人的合法权益。劳动争议仲裁程序设计的本意和初衷是为了方便快捷地解决劳动争议,但是在具体运作过程中,有的劳动争议仲裁委员会迟迟不组成仲裁庭,或者虽组成仲裁庭却迟迟不开庭,劳动者的程序性权利受到了损害。而且,因为没有仲裁裁决,劳动者到法院起诉时被告知不予受理,这就形成了一个制度上的死结,十分不利于保护劳动者的合法权益。不少劳动者疲于奔命,却难讨一个"说法",有的劳动者不得不忍气吞声,放弃了本属于自己的合法权益。本法规定的仲裁庭"逾期未作出仲裁裁决的,当事人可以就该劳动争议事项向人民法院提起诉讼"可以有效地解决这一问题。如果劳动争议仲裁委员会受理案件四十五日或六十日还没有作出仲裁裁决,劳动者就可以向人民法院起诉。这就大大方便了劳动者,同时也有利于督促劳动争议仲裁委员会尽快依法履行自己的仲裁职能。

在劳动争议案件中,通常情况下当事人对权利的期待非常迫切,有的还可能因争议的发生而影响了基本生活,急需仲裁程序能够尽快结束以使其权利能够得到实现。缩短仲裁时限，有利于更好地维护劳动者的合法权益。

仲裁庭在法定期间内行使仲裁权是仲裁庭的职责，也是进行仲裁程序、迅速解决当事人之间纠纷的关键。如果仲裁庭组成后，迟迟不履行其职责，或者不严格遵守期限，有意或无意地拖延仲裁程序，不仅影响仲裁程序的进行，也不利于当事人合法权益的保护。

当事人向劳动争议仲裁委员会申请仲裁，可以有一个或者几个仲裁请求。在一般情况下，在一个劳动争议仲裁案件中，在查明案件事实的前提下，应当以法律为准绳，对当事人提出的全部仲裁请求作出仲裁裁决。但是，劳动争议仲裁实践中存在这样的情况，案件的审理已经进行了一段时间，由于种种原因的限制，仲裁庭对于劳动争议仲裁申请人各项仲裁请求相关的事实，尚难以全部查清，不能一次对所有的仲裁请求作出裁决。为了防止仲裁过分迟延，及时保障当事人的合法权益，如果对一部分请求的相关事实已经查明，而且就这部分仲裁请求又需要尽快裁决，仲裁庭可以先就这部分作出裁决，其他仲裁请求待相关事实进一步查明后，通过后续裁决解决。就当事人的部分仲裁请求先行裁决后，整个案件并没有结束，只是仲裁庭的仲裁活动将集中在其他未决事项上。

先行裁决是通过行使部分裁决权作出的裁决，从性质上来说与最终裁决的效力是一样的，具有同样的法律效力。因此，仲裁庭在仲裁程序中已经作出的部分裁决即约束其在以后的裁决中不得对该已作出的裁决部分的结果进行变更。先行裁决是在仲裁权行使过程中先行作出的，因此，在对争议事项作最后裁决时,也不得对在部分裁决中的事项再进行裁决。另外,先行裁决与最后裁决的内容不能相互矛盾,而应保持一致。先行裁决不同于中间裁决。中间裁决通常是指有关程序问题和证据问题的裁决,这些问题通常是通过程序命令或指令的形式加以处理,以确立当事人所遵循的程序,严格来说,这些程序命令或指令还不属于裁决范畴,它不能等同于最后裁决,也不可能由法院宣布其是可执行的。但不管是中间裁决还是部分裁决,其效力是一样的。

第四十四条　仲裁庭对追索劳动报酬、工伤医疗费、经济补偿或者赔偿金的案件,根据当事人的申请,可以裁决先予执行,移送人民法院执行。

仲裁庭裁决先予执行的,应当符合下列条件:

(一)当事人之间权利义务关系明确;

(二)不先予执行将严重影响申请人的生活。

劳动者申请先予执行的,可以不提供担保。

【释义】　本条是关于先予执行的适用情形的规定。

先予执行的着眼点是满足申请人的迫切需要。执行本应在仲裁裁决发生法律效力之后,先予执行是为了解决一部分当事人由于生活或生产的迫切需要,必须在裁决之前采取措施,以解燃眉之急。例如,申请人因高度危险作业遭受工伤,造成严重的身体伤害,急需住院治疗,申请人无力负担医疗费用,而与负有承担医疗费用义务的被申请人不能协商解决,申请人向劳动争议仲裁委员会申请劳动争议仲裁。仲裁庭裁决劳动争议案件，应当自劳动争议仲裁委员会收到仲裁申请之日起四十五日内结束，有一段时间，如果不先予执行，必然使申请人的治疗耽误时间，或者造成严重后果。在这样的案件中，如果不先予执行，等仲裁庭作出生效裁决后再由义务人履行义务，就会使权利人不能得到及时治疗。仲裁庭裁决先予执行就可以解决这个问题。

仲裁庭审理劳动争议案件，从受理到作出仲裁裁决，从裁决生效到当事人自动履行或强制执行需要一个过程。在这段时间里，个别劳动者可能因为经济困难，难以维持正常的生活或者生产经营活动，先予执行制度就是为了解决当事人的燃眉之急，在最终裁决前让被申请人先给付劳动者一定数额的款项或者财物，以维持原告正常的生活或者生产。

所谓当事人之间的权利义务关系明确，是指该案件的事实十分清楚，当事人之间的是非责任显而易见。所谓不先予执行将严重影响申请人的生活，是指申请人是依靠被申请人履行义务而维持正常生活的，在仲裁庭作出裁决前，如果不裁定先予执行，申请人将难以维持正常的生活。

提供担保的目的，在于保护被申请人的合法权益，当因申请人申请错误使被申请人遭受损失时，对被申请人的赔偿有保障。

我国民事诉讼程序中有先予执行的规定。民事诉讼法第九十七条规定：“人民法院对下列案件，根据当事人的申请，可以裁定先予执行：（一）追索赡养费、扶养费、抚育费、抚恤金、医疗费用的；（二）追索劳动报酬的；（三）因情况紧急需要先予执行的。”民事诉讼程序设置先予执行制度的目的是考虑上述生活困难的当事人在期待权利保障过程中的救急性措施,其中追索劳动报酬案件被列入其中,可见先予执行制度在处理劳动争议程序中的必要性。劳动争议仲裁程序如同诉讼程序一样,在程序进行中,劳动者的生活已经处于非常困难的情况下,可以采取先予执行措施。先予执行措施带有强制性,只能由人民法院采取,但劳动争议仲裁程序作为独立的程序,如果没有该制度的保障,保障当事人合法权益的程序机制就是不完善的。仲裁庭不能直接采取先予执行措施,但仲裁庭可以裁决先予执行,移送人民法院执行。本法所规定的先予执行,有以下几点需要注意:(1)仅对特定类型案件可以申请先予执行。这些特定类型案件是指追索劳动报酬、工伤医疗费、经济补偿或者赔偿金的案件。其他类型的案件不适用先予执行。(2)必须根据当事人的申请。只有当事人申请,仲裁庭才能作出先予执行的裁定。如果当事人不申请,仲裁庭不能主动作出先予执行的裁决。

为了更好地保护劳动者的权益,本条规定:“劳动者申请先予执行的,可以不提供担保。”一般来说,提供担保的目的,在于保护被申请人的合法权益,当因申请人申请错误使被申请人遭受损失时,对被申请人的赔偿有保障。在劳动争议仲裁案件中,劳动者生活一般面临暂时性困难,这时候再让劳动者提供担保无异于雪上加霜,考虑到实际情况,法律规定:“劳动者申请先予执行的,可以不提供担保。”

第四十五条　裁决应当按照多数仲裁员的意见作出，少数仲裁员的不同意见应当记入笔录。仲裁庭不能形成多数意见时，裁决应当按照首席仲裁员的意见作出。

【释义】　本条是关于仲裁裁决如何作出的规定。

本法有意淡化原来劳动争议仲裁行政色彩过于浓厚的弊端，强调劳动争议仲裁的独立性和社会性，在仲裁规则上参照了现行的民商事仲裁规则，本条关于仲裁裁决作出的规定即是这种精神的体现。一般来说，作为“仲裁”一词的本意，应包含以下方面：(1)民间性。所谓民间性是指仲裁机构是民间性组织，与国家行政机关没有隶属关系。(2)独立性。所谓独立性是指作为仲裁他人争议的民间机构，必须体现出社会属性，不能依附于某一个机构。(3)中立性。所谓中立性是指仲裁者必须站在中立的立场上，不偏不倚地对待争议双方当事人，而不能站在或变相站在一方当事人的立场上去处理争议，此其一。其二，处理争议者不能与争议事项有关，如果仲裁员与争议事项有关，他是不可能中立地处理争议事项的。(4)灵活性。所谓灵活性是指仲裁必须要灵活、简便。从仲裁的产生来看，它恰恰是在对诉讼漫长、繁琐的程序不满的基础上产生的，如果仲裁的程序要比诉讼更漫长，那就失去了仲裁简便、灵活的特征。(5)权威性。所谓权威性是指仲裁裁决的结果必须有国家强制力保障其实施。否则，即使很公道、及时、方便快捷，最后的结果无法履行，仍起不到应有的作用。但长期以来，我国的劳动争议仲裁行政色彩过于浓厚，没有体现作为“仲裁”的本义。

所谓裁决,是指仲裁庭依据案件事实和有关法律规定,对当事人申请仲裁有关实体权利的请求事项作出的确认当事人之间的权利义务关系的有法律约束力的书面结论性判定。根据本条规定,当仲裁员在仲裁劳动争议案件出现分歧时,应当按照如下方式进行裁决。首先,按多数仲裁员的意见作出。如我国仲裁法规定:“裁决应当按照多数仲裁员的意见作出,少数仲裁员的不同意见可以记入笔录。”以多数仲裁员的意见作出裁决是一种较普遍的方式。各国仲裁规则和国际仲裁规则均有这种规定,如《联合国国际贸易法委员会仲裁规则》采用的就是这种方式。该规则规定:“在有三名仲裁员的情况下,任何裁决或其他决定应由仲裁员多数作出。”所谓多数仲裁员的意见是指仲裁庭的三名仲裁员中至少应有两名必须互相赞成对方的意见。如果三名仲裁员各执己见则无法形成多数意见,也就无法按此种方式作出裁决。

其次,按首席仲裁员的意见作出。在仲裁实践中,三名仲裁员各执己见的情况屡有发生,因此当裁决不能形成多数意见时,则采用按首席仲裁员的意见作出裁决的方式进行。

首席仲裁员是合议庭的主持者,要负责整个仲裁庭的审理工作,但对于仲裁裁决的表决权,他与其他仲裁员是平等的,只有投票的权力,没有特权。在实践中,当无法形成多数意见时,首席仲裁员首先应当组织仲裁员重新对案件进行表决,以形成多数意见。当无法形成多数意见时,可按法律规定由首席仲裁员决定。另外,如果形成的多数意见是两名仲裁员的意见一致,首席仲裁员也应服从多数意见,不同意见应当记入笔录。

世界各国仲裁法在对裁决或其他决定应按多数仲裁员的意见作出这一点上是一致的，只是对不能形成多数意见时的处理方法有所不同。归纳起来有四种情况：第一种对任何问题的决定，必须通过磋商让步或妥协方式取得多数票。如1983年奥地利民事诉讼法典第591条规定，如果不能达到作出决定所需多数意见，或有两名仲裁员不能达成一致意见时，除非另有规定，当事人可请求管辖法院宣布仲裁协议无效。1986年荷兰仲裁法第1057条、1973年韩国仲裁法第11条等也有类似规定。第二种是对程序问题的决定，可由首席仲裁员单独作出决定。如1976年《联合国国际贸易法委员会仲裁规则》第31条、1985年《联合国国际贸易法委员会国际商事仲裁示范法》第29条、1998年德国民事诉讼法典第1052条的规定。第三种是仲裁庭依从仲裁协议规定的方式作出规定。如1998年比利时司法法典第1791条以及很多国家的仲裁法都有此内容。第四种是如我国仲裁法的规定，即依多数意见作出裁决的做法，符合各国仲裁制度的通例。不能形成多数意见时依首席仲裁员的意见作出裁决，这种做法在国际上也广为采用，如1987年瑞士联邦国际私法法规第189条、1995年瑞典新仲裁法草案第28条、《国际商会调解与仲裁规则》第19条、《伦敦国际仲裁院仲裁规则》第16条等。

需要注意的是，《企业劳动争议处理条例》第二十九条规定："仲裁庭裁决劳动争议案件，实行少数服从多数的原则。不同意见必须如实笔录。"与其相比，本法考虑到不能形成多数意见时的裁决作出方式，更符合国际通行做法。

第四十六条　仲裁书应当载明仲裁请求、争议事实、裁决理由、裁决结果和裁决日期。裁决书由仲裁员签名，加盖劳动争议仲裁委员会印章。对裁决持不同意见的仲裁员，可以签名，也可以不签名。

【释义】 本条是关于裁决书内容和形式的规定。

裁决书的内容是指对仲裁案件程序事项和实体事项所作决定的书面陈述。仲裁庭行使裁决权的结果是作出仲裁裁决。对仲裁裁决的形式要求是各国仲裁立法和仲裁规则共同的规定，即仲裁裁决应以仲裁裁决书这一书面形式体现出来。有些国家还在此基础上特别要求仲裁裁决必须以公证书的形式作成，如西班牙和葡萄牙等国的法律就有此类要求，美国有些州的法律也要求仲裁裁决须经过公证。仲裁裁决的书面形式规则排除了仲裁庭以口头方式行使仲裁裁决权的可能性。

上述规定只列明了仲裁裁决书的主要内容，作为一份完整的仲裁裁决书，还应写明仲裁机构的名称和地址、裁决书的编号、双方当事人的基本情况、代理人的情况、仲裁庭组成情况、仲裁员姓名、审理过程等。

仲裁书由仲裁员签名，加盖劳动争议仲裁委员会的印章，这就意味着仲裁庭虽然是案件的具体审理者，但裁决却不能以仲裁庭的名义作出，而是统一以劳动争议仲裁委员会的名义作出。这就如同法院的判决书，无论出自民事审判庭、刑事审判庭还是行政审判庭，都一律加盖法院的印章，以法院的名义作出一样。对裁决持不同意见的仲裁员，可以签名，也可以不签名。这是因为仲裁庭虽然是一个统一的集体，但每个仲裁员又有其独立的仲裁人格。签名或不签名，实际上是持不同意见的仲裁员在“保持对外一致”与“维护自己独立仲裁人格”两者之间进行选择的结果。但应注意的是，一旦有仲裁员不签名，仲裁庭就应在仲裁书中对这一情况作适当的说明，以此证明该仲裁员参加了审理工作。

关于劳动争议仲裁裁决书的制作。劳动争议仲裁裁决书一般由首部、正文和尾部组成。

1. 首部。首部是仲裁书的开头部分，应当写明：（1）制作裁决书的劳动争议仲裁委员会的全称以及文书名称即“劳动争议仲裁裁决书”。（2）年号及仲裁书编号。（3）双方当事人的名称和地址，当事人是法人的，应写明法人的全称、法定代表人姓名和职务。如果委托代理人进行仲裁活动时，还应写明委托代理人的姓名、职业等有关信息。

2. 正文。正文是裁决书的核心部分，应写明：（1）仲裁请求，即申请人请求劳动争议仲裁委员会通过仲裁审理所要解决的问题和达到的目的。（2）争议事实，即争议发生的经过，双方争议的焦点及各自的主张等。（3）仲裁理由，即仲裁庭作出裁决所依据的事实和所适用的法律。对裁决书是否需要附具理由，各国仲裁立法中规定有所不同，有的认为裁决应是简单的最终决定，没有必要说明所作决定的理由。但多数国家的立法和司法机构反对这一主张，他们认为，当事人不仅有权知道仲裁庭所作的裁决,而且应有权知道裁决是如何作出的。(4)裁决结果,即仲裁书在查清事实、分清是非、确定责任的基础上对当事人之间的争议和权利义务的承担所作的决定。

3. 尾部。尾部是裁决书的结尾部分,应由仲裁员在裁决书上签名,对裁决持不同意见的仲裁员,可以签名,也可以不签名,并加盖劳动争议仲裁委员会印章,写明裁决日期。

第四十七条　下列劳动争议,除本法另有规定的外,仲裁裁决为终局裁决,裁决书自作出之日起发生法律效力:

(一)追索劳动报酬、工伤医疗费、经济补偿或者赔偿金,不超过当地月最低工资标准十二个月金额的争议;

(二)因执行国家的劳动标准在工作时间、休息休假、社会保险等方面发生的争议。

【释义】　本条是关于一裁终局的规定。

本法规定的劳动争议调解仲裁的基本模式是:(1)一调一裁两审制。本法第五条规定,发生劳动争议,当事人不愿协商、协商不成或者达成和解协议后不履行的,可以向调解组织申请调解;不愿调解、调解不成或者达成调解协议后不履行的,可以向劳动争议仲裁委员会申请仲裁;对仲裁裁决不服的,除本法另有规定的外,可以向人民法院提起诉讼。(2)一裁终局制。本法第五条规定的"除本法另有规定的外"的情形指的就是本条有关一裁终局的规定。

过去的劳动争议处理机制主要问题之一是劳动争议处理

周期长,效率低,劳动者维权成本高。许多劳动者,往往因拖不起时间、打不起官司,使得合法权益难以得到有效维护。这个问题在社会上表现得比较突出。为了使劳动争议仲裁实现便捷高效,本法作出了有针对性的制度设计:一裁终局。一裁终局能让大量的劳动争议案件在仲裁阶段就得到解决,不用再拖延到诉讼阶段,能够有效地缩短劳动争议案件的处理时间,提高劳动争议仲裁效率,保护当事人双方的合法权益。

(一)一裁终局的概念和含义

一裁终局制度是劳动争议经仲裁庭裁决后即行终结的制度。包括五层含义:一是本条中的"除本法另有规定的外"是指本法第四十八条的规定,劳动者对本条规定的仲裁裁决不服的,可以向法院提起诉讼;二是一裁终局有范围限制,一裁终局仅限于小额和标准明确的仲裁案件;三是裁决书自作出之日起发生法律效力;四是仲裁裁决发生法律效力后,当事人不得就同一争议事项再向仲裁委员会申请仲裁或向法院起诉;五是仲裁裁决发生法律效力后,当事人应当依照规定的期限履行。

(二)适用一裁终局的劳动争议仲裁案件

适用一裁终局的劳动争议仲裁案件有两类:一是小额仲裁案件;二是标准明确的仲裁案件。这两类案件在全部劳动争议案件总数中所占比例较大,也正因为如此,一裁终局可以解决多数劳动争议案件处理周期长的问题。

1. 小额仲裁案件

小额仲裁案件有金额限制。小额仲裁案件是指不超过当地月最低工资标准十二个月金额的仲裁案件。根据劳动和社会保障部公布的数据显示,截至2006年10月,深圳市月最低工资标准在全国最高,为810元;江西省的边远县区月最低工资标准在全国最低,为270元。按照这一数据计算,深圳市月最低工资标准十二个月金额为9720元;江西省的边远县区月最低工资标准十二个月金额为3240元。按照这一计算结果,适用小额仲裁案件的最高金额没有超过1万元。

小额仲裁案件包括四种:

(1)追索劳动报酬的案件。根据《关于〈劳动法〉若干条款的说明》(劳办发〔1994〕289号)的解释,劳动报酬是指劳动者从用人单位得到的全部工资收入。据全国总工会不完全统计,1997年职工工资拖欠额累计为217.3亿元,涉及职工人数为1144.6万人,2002年拖欠工资额为404.3亿元,涉及职工983.2万人,拖欠工资超过10亿元的有十几个省。一些拖欠工资严重的企业,拖欠时间累计最长达数十个月。一些地方拖欠农民工工资问题也十分严重。劳动和社会保障部2002年底开展的农民工工资支付情况专项检查中,仅在23个外来务工人员较多的省、市(区),就查处拖欠农民工工资违法案件13000余件,涉及62.6万人,追讨拖欠农民工工资额达3.5亿元。这类案件具有案件频发、涉及人数众多、社会影响大等特点,因此能否及时高效地解决这类案件直接关系到社会的和谐稳定。

(2)追索工伤医疗费的案件。工伤医疗费是指职工因工负伤治疗,享受工伤医疗费,工伤医疗费是工伤保险待遇的一项，主要包括以下内容：①工伤职工治疗工伤或者职业病所需的挂号费、住院费、医疗费、药费、就医路费全额报销。②工伤职工需要住院治疗的，按照当地因公出差伙食补助标准的2/3发给住院伙食补助费；经批准转外地治疗的，所需交通、食宿费用按照本企业职工因公出差标准报销。

（3）追索经济补偿的案件。根据劳动合同法的规定，涉及经济补偿的有：①用人单位与劳动者可以在劳动合同中约定保守用人单位的商业秘密和与知识产权相关的保密事项。对负有保密义务的劳动者，用人单位可以在劳动合同或者保密协议中与劳动者约定竞业限制条款，并约定在解除或者终止劳动合同后，在竞业限制期限内按月给予劳动者经济补偿。②有下列情形之一的，用人单位应当向劳动者支付经济补偿：一是因用人单位过错，劳动者依照该法第三十八条规定解除劳动合同的；二是用人单位依照该法第三十六条规定向劳动者提出解除劳动合同并与劳动者协商一致解除劳动合同的；三是因劳动者患病、负伤、不能胜任工作等，用人单位依照该法第四十条规定解除劳动合同的；四是因经济性裁员，用人单位依照该法第四十一条规定解除劳动合同的；五是除用人单位维持或者提高劳动合同约定条件续订劳动合同，劳动者不同意续订的情形外，依照该法第四十四条第一项规定终止固定期限劳动合同的；六是依照该法第四十四条第四项、第五项规定因企业破产、撤销、责令关闭等情形终止劳动合同的；七是法律、行政法规规定的其他情形。经济补偿按劳动者在本单位工作的年限，每满一年支付一个月工资的标准向劳动者支付。六个月以上不满一年的,按一年计算;不满六个月的,向劳动者支付半个月工资的经济补偿。劳动者月工资高于用人单位所在直辖市、设区的市级人民政府公布的本地区上年度职工月平均工资三倍的,向其支付经济补偿的标准按职工月平均工资三倍的数额支付,向其支付经济补偿的年限最高不超过十二年。

(4)追索赔偿金的案件。根据劳动合同法的规定,赔偿金包括:①用人单位违反该法规定解除或者终止劳动合同,劳动者要求继续履行劳动合同的,用人单位应当继续履行;劳动者不要求继续履行劳动合同或者劳动合同已经不能继续履行的,用人单位应当依照该法应当依照该法第四十七条规定的经济补偿标准的二倍向劳动者支付赔偿金。②用人单位违反本法规定与劳动者约定试用期的,由劳动行政部门责令改正;违法约定的试用期已经履行的,由用人单位以劳动者试用期满月工资为标准,按已经履行的超过法定试用期的期间向劳动者支付赔偿金。③用人单位有下列情形之一的,由劳动行政部门责令限期支付劳动报酬、加班费或者经济补偿;劳动报酬低于当地最低工资标准的,应当支付其差额部分;逾期不支付的,责令用人单位按应付金额百分之五十以上百分之一百以下的标准向劳动者加付赔偿金:一是未按照劳动合同的约定或者国家规定及时足额支付劳动者劳动报酬的;二是低于当地最低工资标准支付劳动者工资的;三是安排加班不支付加班费的;四是解除或者终止劳动合同,未依照该法规定向劳动者支付经济补偿的。

2. 标准明确的仲裁案件

国家劳动标准是指国家对劳动领域内规律性出现的事物或行为进行规范，以定量或定性形式所作出的统一规定。我国对劳动标准建设一直相当重视，初步形成了以劳动法为核心的劳动标准体系，基本涵盖了劳动领域的主要方面。国家劳动标准包括工作时间、休息休假、社会保险等方面。

国家劳动标准具有以下特点：(1)通过规范性文件加以规定。(2)标准明确。往往是用定量的方式加以规定。(3)适用范围广泛。涵盖了劳动领域的主要方面。

第四十八条　劳动者对本法第四十七条规定的仲裁裁决不服的，可以自收到仲裁裁决书之日起十五日内向人民法院提起诉讼。

【释义】　本条是关于劳动者对一裁终局的仲裁裁决不服的，可以向法院提起诉讼的规定。

本法第四十七条规定了一裁终局。本法对用人单位和劳动者规定了不同的救济途径：(1)关于用人单位。本法第四十九条规定了用人单位可以申请撤销仲裁裁决。(2)关于劳动者。考虑到在保障双方当事人救济权利的前提下，需要使劳动者行使救济权利更方便，对其保障更充分。因此本条把劳动者作为一裁终局的除外情况加以规定，劳动者对本法第四十七条规定的仲裁裁决不服的，可以向法院提起诉讼。

本条规定劳动者对本法第四十七条规定的仲裁裁决享有诉权，主要基于以下考虑：(1)劳动者在劳动关系中处于弱势一方。给予劳动者诉权,有利于劳动者权益的充分保障。(2)本法第四十七条规定的小额仲裁案件虽然绝对数额较小,但对于一些生活比较困难的劳动者来说,这些资金可能是维持其家庭基本生活的主要来源。因此,有必要对劳动者的救济途径作出特别的、更加慎重的处理。(3)可以防止用人单位恶意诉讼。一些用人单位明知自己行为违法,但为了自身利益,不惜钱款,不惜人力,借助自身优势地位也要把劳动争议案件打到底,让劳动者望而却步。本法规定的一裁终局,可以有效地解决由用人单位造成的部分劳动争议案件的久拖不决。

本条关于劳动者诉权的规定应注意以下几个方面:(1)诉讼申请人只能是劳动者,用人单位不能直接提起诉讼。(2)本条对劳动者提起诉讼没有法定条件的限制,只规定了劳动者对本法第四十七条规定的仲裁裁决不服的,就可以提起诉讼。劳动者对诉与不诉有选择权。劳动者认为仲裁裁决对其有利,可以选择仲裁生效;劳动者认为仲裁裁决对其不利,可以继续提起诉讼。(3)本条规定的诉讼期间是自收到仲裁裁决书之日起十五日内。(4)劳动者期满不起诉的,视为放弃诉权,裁决书对劳动者发生法律效力。

第四十九条　用人单位有证据证明本法第四十七条规定的仲裁裁决有下列情形之一,可以自收到仲裁裁决书之日起三十日内向劳动争议仲裁委员会所在地的中级人民法院申请撤销裁决:

（一）适用法律、法规确有错误的；

（二）劳动争议仲裁委员会无管辖权的；

（三）违反法定程序的；

（四）裁决所根据的证据是伪造的；

（五）对方当事人隐瞒了足以影响公正裁决的证据的；

（六）仲裁员在仲裁该案时有索贿受贿、徇私舞弊、枉法裁决行为的。

人民法院经组成合议庭审查核实裁决有前款规定情形之一的，应当裁定撤销。

仲裁裁决被人民法院裁定撤销的，当事人可以自收到裁定书之日起十五日内就该劳动争议事项向人民法院提起诉讼。

【释义】 本条是关于用人单位可以向人民法院申请撤销仲裁裁决的规定。

一裁终局的裁决发生法律效力后，用人单位不得就同一争议事项再向仲裁委员会申请仲裁或向法院起诉。为了保护用人单位的救济权利，本条规定用人单位可以向法院申请撤销仲裁裁决。

（一）申请撤销裁决的特点

申请撤销裁决有以下特点：（1）撤销裁决的申请人是用人单位。劳动者的救济途径与用人单位不同，根据本法第四十八条的规定，劳动者的救济途径是本法第四十七条规定的对仲裁裁决不服的，可以向法院提起诉讼，而非申请撤销裁决；反之，用人单位只能申请撤销裁决，而不能直接提起诉讼。

(2)申请撤销的是已经生效的裁决。根据本法第四十七条规定,除本法另有规定的外,仲裁裁决为终局裁决,裁决书自作出之日起发生法律效力。(3)申请撤销裁决,不影响用人单位对仲裁裁决的履行。法院做出撤销裁定之前,仲裁裁决仍然有效。

(二)申请撤销裁决的条件

申请撤销裁决的条件包括:(1)必须有证据证明一裁终局的仲裁裁决有法定应予撤销情形之一的。(2)应当在法定期间内提出申请。即自收到裁决书之日起三十日内。(3)应当向有管辖权的法院提出申请。即向劳动争议仲裁委员会所在地的中级人民法院申请撤销裁决。

(三)申请撤销仲裁裁决的情形

1.适用法律法规确有错误的。这主要是指:(1)适用法律、行政法规、地方性法规错误的,这里并不包括法律法规以外的其他规范性文件;(2)适用已失效或尚未生效的法律法规的;(3)援引法条错误的;(4)违反法律关于溯及力规定的。

2.劳动争议仲裁委员会无管辖权的。本法第二十一条规定,劳动争议仲裁委员会负责管辖本区域内发生的劳动争议。劳动争议由劳动合同履行地或者用人单位所在地的劳动争议仲裁委员会管辖。双方当事人分别向劳动合同履行地或者用人单位所在地的劳动争议仲裁委员会申请仲裁的,由劳动合同履行地的劳动争议仲裁委员会管辖。

3.违反法定程序的。这主要是指:(1)仲裁组织的组成不合法的;(2)违反了有关回避规定的;(3)违反了有关期间规定的;(4)审理程序违法等。

4. 裁决所根据的证据是伪造的。伪造证据,是指制造虚假的证据,对证据内容进行篡改,使其与真实不符。如制造虚假的书证、物证、鉴定结论等。

5. 对方当事人隐瞒了足以影响公正裁决的证据的。足以影响公正裁决的证据包括证明案件基本事实的证据、证明主体之间权利义务关系的证据等。

6. 仲裁员在仲裁该案时有索贿受贿、徇私舞弊、枉法裁决行为的。受贿是指仲裁员利用职务上的便利,收受他人财物并为他人谋取利益的行为。索贿是受贿人以公开或暗示的方法,主动向行贿人索取贿赂,有的甚至是公然以要挟的方式,迫使当事人行贿。徇私舞弊是指仲裁员利用职务上的便利,为他人谋利。枉法裁决是指依法承担仲裁职责的人员,在仲裁活动中故意违背事实和法律作枉法裁决,具体而言包括以下三种情况:一是对有确实、充分证据证明的事实不予以认定;二是对证据不确实、不充分的事实予以认定;三是伪造、毁灭证据。根据本法第三十四条的规定,仲裁员有索贿受贿、徇私舞弊、枉法裁决行为的,应当依法承担法律责任。劳动争议仲裁委员会应当将其解聘。

(四)法院对撤销仲裁裁决申请的处理和法律后果

人民法院经组成合议庭审查核实裁决有第一款规定情形之一的,应当裁定撤销。

仲裁裁决被人民法院裁定撤销的,当事人可以自收到裁定书之日起十五日内就该劳动争议事项向人民法院提起诉讼。这里应当注意:(1)当事人既包括用人单位,也包括劳动者。(2)仲裁裁决被人民法院裁定撤销的,仲裁裁决自始无效,当事人可以就同一劳动争议事项向法院起诉。

第五十条　当事人对本法第四十七条规定以外的其他劳动争议案件的仲裁裁决不服的,可以自收到仲裁裁决书之日起十五日内向人民法院提起诉讼;期满不起诉的,裁决书发生法律效力。

【释义】　本条是关于当事人可以对一裁终局以外的其他劳动争议仲裁案件提起诉讼的规定。

(一)一裁终局以外的其他劳动争议

本法第二条规定了适用本法的劳动争议的范围:(1)因确认劳动关系发生的争议;(2)因订立、履行、变更、解除和终止劳动合同发生的争议;(3)因除名、辞退和辞职、离职发生的争议;(4)因工作时间、休息休假、社会保险、福利、培训以及劳动保护发生的争议;(5)因劳动报酬、工伤医疗费、经济补偿或者赔偿金等发生的争议;(6)法律、法规规定的其他劳动争议。

本法第四十七条规定了适用一裁终局的劳动争议的范围:(1)追索劳动报酬、工伤医疗费、经济补偿或者赔偿金,不超过当地月最低工资标准十二个月金额的争议;(2)因执行国家的劳动标准在工作时间、休息休假、社会保险等方面发生的争议。

一裁终局以外的其他劳动争议是指,除了本法第四十七条规定的劳动争议以外的其他的本法第二条规定的劳动争议。

（二）一裁终局以外的其他劳动争议的处理模式

对一裁终局以外的其他劳动争议，当事人不愿协商、协商不成或者达成和解协议后不履行的，可以向调解组织申请调解；不愿调解、调解不成或者达成调解协议后不履行的，可以向劳动争议仲裁委员会申请仲裁；对仲裁裁决不服的，可以向人民法院提起诉讼。即采用“一调一裁两审，仲裁前置”的模式。

（三）仲裁裁决的效力

仲裁裁决作出后，并不立即发生法律效力；当事人对仲裁裁决不服的，可以自收到裁决书之日起十五日内向人民法院提起诉讼；期满不起诉的，裁决书发生法律效力。

裁决书发生法律效力后的法律后果表现在两个方面：(1)裁决书具有既判力。当事人不能就同一争议事项再向人民法院起诉，也不能再申请仲裁机构仲裁。(2)裁决书具有执行力。当事人对发生法律效力的裁决书，应当依照规定的期限履行。一方当事人逾期不履行的，另一方当事人可以依照民事诉讼法的有关规定向人民法院申请执行。

第五十一条　当事人对发生法律效力的调解书、裁决书，应当依照规定的期限履行。一方当事人逾期不履行的，另一方当事人可以依照民事诉讼法的有关规定向人民法院申请执行。受理申请的人民法院应当依法执行。

【释义】　本条是关于当事人对发生法律效力的调解书、

裁决书的履行和申请执行的规定。

（一）对发生法律效力的调解书、裁决书的履行

1.发生法律效力的调解书。本法第四十二条规定，仲裁庭在作出裁决前，应当先行调解。调解书由仲裁员签名，加盖劳动争议仲裁委员会印章，送达双方当事人。调解书经双方当事人签收后，发生法律效力。

2.发生法律效力的裁决书包括：（1）根据本法第四十七条的规定，一裁终局的裁决，裁决书自作出之日起发生法律效力。（2）本法第五十条规定，当事人对本法第四十七条规定以外的其他劳动争议案件的仲裁裁决不服的，可以自收到仲裁裁决书之日起十五日内向人民法院提起诉讼；期满不起诉的，裁决书发生法律效力。

3.发生法律效力的调解书、裁决书具有执行力，当事人应当依照规定的期限履行。履行的基本原则是全面履行。

（二）向法院申请执行

一方当事人逾期不履行的，另一方当事人可以依照民事诉讼法的有关规定向人民法院申请执行。受理申请的人民法院应当依法执行。

根据民事诉讼法的规定，由法院执行的调解书、裁决书，由被执行人住所地或者被执行的财产所在地法院执行。

被申请人提出证据证明仲裁裁决有下列情形之一的，经法院组成合议庭审查核实，裁定不予执行：（1）裁决的事项不属于仲裁的范围或者仲裁机构无权仲裁的；（2）仲裁庭的组成或者仲裁的程序违反法定程序的；（3）认定事实的主要证

据不足的；(4)适用法律确有错误的；(5)仲裁员在仲裁该案时有贪污受贿、徇私舞弊、枉法裁决行为的。法院认定执行该裁决违背社会公共利益的，裁定不予执行。

当事人、利害关系人认为执行行为违反法律规定的，可以向负责执行的法院提出书面异议。当事人、利害关系人提出书面异议的，法院应当自收到书面异议之日起十五日内审查，理由成立的，裁定撤销或者改正；理由不成立的，裁定驳回。当事人、利害关系人对裁定不服的，可以自裁定送达之日起十日内向上一级法院申请复议。

法院自收到申请执行书之日起超过六个月未执行的，申请执行人可以向上一级法院申请执行。上一级法院经审查，可以责令原法院在一定期限内执行，也可以决定由本院执行或者指令其他法院执行。

在执行中，双方当事人自行和解达成协议的，执行员应当将协议内容记入笔录，由双方当事人签名或者盖章。一方当事人不履行和解协议的，法院可以根据对方当事人的申请，恢复对原生效法律文书的执行。

在执行中，被执行人向法院提供担保，并经申请执行人同意的，法院可以决定暂缓执行及暂缓执行的期限。被执行人逾期仍不履行的，法院有权执行被执行人的担保财产或者担保人的财产。

执行完毕后，据以执行的判决、裁定和其他法律文书确有错误，被人民法院撤销的，对已被执行的财产，法院应当作出裁定，责令取得财产的人返还；拒不返还的，强制执行。

申请执行的期间为二年。申请执行时效的中止、中断,适用法律有关诉讼时效中止、中断的规定。期间从法律文书规定履行期间的最后一日起计算;法律文书规定分期履行的,从规定的每次履行期间的最后一日起计算;法律文书未规定履行期间的,从法律文书生效之日起计算。

执行员接到申请执行书或者移交执行书,应当向被执行人发出执行通知,责令其在指定的期间履行,逾期不履行的,强制执行。被执行人不履行法律文书确定的义务,并有可能隐匿、转移财产的,执行员可以立即采取强制执行措施。

有下列情形之一的,法院应当裁定中止执行:(1)申请人表示可以延期执行的;(2)案外人对执行标的提出确有理由的异议的;(3)作为一方当事人的公民死亡,需要等待继承人继承权利或者承担义务的;(4)作为一方当事人的法人或者其他组织终止,尚未确定权利义务承受人的;(5)法院认为应当中止执行的其他情形。中止的情形消失后,恢复执行。

有下列情形之一的,法院裁定终结执行:(1)申请人撤销申请的;(2)据以执行的法律文书被撤销的;(3)作为被执行人的公民死亡,无遗产可供执行,又无义务承担人的;(4)作为被执行人的公民因生活困难无力偿还借款,无收入来源,又丧失劳动能力的;(5)法院认为应当终结执行的其他情形。

第四章 附 则

第五十二条 事业单位实行聘用制的工作人员与本单位发生劳动争议的，依照本法执行；法律、行政法规或者国务院另有规定的，依照其规定。

【释义】 本条是关于事业单位聘用制工作人员适用本法的规定。

（一）我国事业单位用人制度的基本情况

事业单位是具有中国特色的组织。所谓事业单位，是指为了社会公益目的，由国家机关举办或者其他组织利用国有资产举办的，从事教育、科技、文化、卫生等活动的社会服务组织。国家通过编制管理实现对事业人员的配置和调控。按照国家财政拨款的多少，可以将事业单位分为三种：全额拨款的事业单位、差额拨款的事业单位和自收自支的事业单位。我国事业单位数量众多，类型不一，队伍庞大。全国事业单位总计126万个，涉及教育、卫生、农业、文化、科研等多个领域，职工人数近3035万，其中正式职工2923万（包括原固定职工和使用期限在一年以上的合同制职工）。职工人数中教育业占51.3%，卫生业占14.3%，农业占9.5%，文化业占5.1%，科研占2.4%。长期以来，我国的事业单位实行的是一套不同于企业，近似于国家机关的人事管理制度。改革开放以后，国家在企业推行劳动合同制度，对国家机关公务员的管理通过立法加以规范，事业单位的人事制度仍在原来制度的基础上运行，改革进展缓慢。为了转换事业单位用人机制，就要加快推进事业单位人事制度改革。2002 年 7 月 6 日，《国务院办公厅转发人事部〈关于在事业单位试行人员聘用制度意见〉的通知》要求事业单位除按照国家公务员制度进行人事管理的以及转制为企业的以外，都逐步试行人员聘用制度。到 2006 年年底，事业单位实行聘用合同的人员 1700 多万，约占总人数的 51%。

国家对事业单位实行编制管理，按照编制核算拨款的数额。目前事业单位编制都是多年前核定的，编制基数多年不变，不能满足事业单位不断发展的需要。在编制满额的情况下，各事业单位只好大量扩充编外人员和其他人员，这样造成事业单位人员结构复杂，人事管理分割。事业单位人员结构归纳起来分为三类：第一类是编制内聘用人员，包括签订聘用合同的编制内聘用人员和无须签订聘用合同的编制内聘用人员；第二类是编制外人员，包括档案内部管理的编外人员和档案外部管理的编外人员，编外人员一般实行企业化管理，与事业单位签订劳动合同；第三类是劳务派遣人员，是通过劳务派遣形式招用的人员。

（二）事业单位人员如何适用本法

事业单位人员是否应当纳入本法，是立法中争论比较大的一个问题。一种意见认为应当把人事争议纳入适用范围。

长期以来，我国的人事制度是由政策和行政文件相结合建立起来的，调整人事关系几乎没有一个完整的法律规范性。1994 年劳动法颁布时，企业的劳动关系由劳动法调整，对事业单位职工参照公务员管理体制进行管理。公务员法出台后，公务员法将事业单位的工作人员排除在适用范围之外。事业单位与其工作人员因人事关系的建立、变更、解除等争议，依据的是 1997 年人事部制定下发的《人事争议处理暂行规定》。随着人事制度市场化改革的深入，尤其是事业单位人事聘用制的推行，劳动关系与人事关系的差异在逐步淡化。即事业单位实行聘用制以后，聘用关系已不同于传统的人事关系，工作人员与事业单位通过双向选择和协商一致缔结劳动关系，工作人员已脱离终身制且不再具有传统的干部身份，事业单位和企业在劳动力市场上都是地位平等的用人主体。由于界分劳动争议与人事争议的原有基础的弱化，劳动、人事争议处理的“双分立”体制已不适应于市场化的劳动关系运行。两者并存容易产生混乱。另一种意见认为我国的国家机关、事业单位和企业属于不同性质的法人。这三类单位存在着本质的不同，其用人制度也存在着根本的不同。国家机关实行公务员制度；事业单位是公益性组织，财政负担人员经费，承担政府的公共服务职能，是非营利性机构，理论上讲应该实行公职人员的管理制度；企业的人员主要是采取市场化配置，有较充分的用人自主权。发生争议其处理程序与劳动争议是有很大区别的，不宜合并管理。

考虑到目前事业单位正处于改革过程中，用人制度的情况比较复杂,事业单位的聘用合同具有特殊性和复杂性,将事业单位实行聘用制工作人员纳入本法调整需要慎重。将非实行公务员管理的事业单位聘用人员纳入适用范围,可以解决实际中无法可依的问题,又能利用现有较成熟的纠纷解决机制,节约国家公共资源。同时,由于本法是一部程序法,程序法是执行实体法的工具,其设计首先取决于所要执行的实体法。2007 年 6 月颁布的劳动合同法,其中第九十六条规定:"事业单位与实行聘用制的工作人员订立、履行、变更、解除或者终止劳动合同,法律、行政法规或者国务院另有规定的,依照其规定;未作规定的,依照本法有关规定执行。"因此本法的调整范围也应与劳动合同法保持一致。因此,本条规定:"事业单位实行聘用制的工作人员与本单位发生劳动争议的,依照本法执行;法律、行政法规或者国务院另有规定的,依照其规定。"这样规定,既解决了本法与现行的事业单位人事管理制度的衔接,也为事业单位人事制度改革留有空间。

第五十三条 劳动争议仲裁不收费。劳动争议仲裁委员会的经费由财政予以保障。

【释义】 本条是关于劳动争议仲裁不收费制度的规定。

劳动争议案件受理费的收费标准,主要是依据《劳动部转发国家物价局、财政部〈关于发布中央管理的劳动部门行政事业收费项目和标准的通知〉的通知》(劳办字〔1992〕22 号)及两个附件,即附件一《国家物价局、财政部关于发布中央管理的劳动部门行政事业性收费项目和标准的通知》(〔1992〕

价费字266号文件)、附二是1992年原国家物价局、财政部制定的《劳动合同鉴证和劳动争议仲裁收费管理办法》。根据这一办法,劳动争议当事人申请仲裁,应当向仲裁委员会交纳仲裁费。仲裁费包括案件受理费和处理费两部分。劳动争议案件每件受理费标准是:3人以下的,20元;4至9人的,30元;10人以上的集体劳动争议案件,50元。处理费按实际开支收取。主要内容包括:鉴定费、勘验费、差旅费,证人误工补助等。该办法对受理费有明确的规定,各地一般都会遵照执行;对于劳动争议案件的处理费则没有明确规定,各地劳动争议仲裁委员会收取处理费的标准高低不一,并不完全一致,但大多是没有争议金额的案件,按固定标准收取数百元的费用,有争议金额的实行累加收费。以广东、浙江为例,《广东省劳动争议仲裁收费管理办法》规定,劳动争议案件处理费收费标准为:没有争议金额的案件,每件300元。有争议金额的案件,按下列标准累加收费:争议金额在1万元以内(含1万元)的案件,每件500元;争议金额超过1万元至5万元(含5万元)的部分,按3%收费;争议金额超过5万元至10万元(含10万元)的部分,按2%收费;争议金额超过10万元的部分,按1%收费。如果劳动者确有经济困难的,可以减免。浙江省没有对劳动仲裁作出统一的规定,一般收取案件受理费和处理费。案件受理费的标准为:没有争议金额的,按申请人数收取,具体为:3人以下的,收20元;4人至9人的,收30元;10人以上的集体劳动争议案件,收50元。有争议金额的,依照有关规定按争议金额的一定比例收取。案件处理费按实际开支收取。

按照目前的做法，劳动者提起劳动仲裁，要交纳案件受理费和处理费，一件劳动争议案件最少要交纳 520 元的费用，数百元的费用对处于劳动争议中的弱势群体——普通劳动者来说，是个不小的负担。而相对于人民法院审理劳动争议案件的受理费用，劳动争议仲裁收费的门槛显然偏高。根据《人民法院诉讼收费办法》的规定，劳动争议案件的受理费用不超过 50 元。造成这种局面的主要原因是两部门的性质不同。人民法院属于国家审判机关，一切经费由财政拨款，而劳动争议仲裁委员会是个由劳动关系三方代表组成的机构，在仲裁活动中，所有活动经费开支政府财政没有任何补贴，全靠收取仲裁费解决，因此用收取仲裁费缓解办案、取证、调查经费的不足，就成了必然选择。

在劳动争议调解仲裁法草案征求意见过程中，部分专家、学者、全国人大代表提出劳动仲裁收费已经成为劳动者依法维权的一个障碍，劳动争议案件的一方是属于弱势群体的劳动者，仲裁收费，不仅不利于维护劳动者的合法权益，而且使很多劳动者因为交不起劳动仲裁费而放弃维权。同时也会严重影响劳动争议仲裁委员会的形象与社会公信力，对于缓解劳资矛盾、促进干群关系都是极为不利的。

2007 年 8 月常务委员会初次审议劳动争议调解仲裁法草案时，对劳动争议仲裁收费标准没有作具体的规定，只是规定："仲裁员参加仲裁活动，劳动争议仲裁委员会给予交通、就餐等费用补助。"在审议中，有些常委委员提出，劳动争议仲裁是以政府为主导化解争议、维护社会稳定的纠纷解决机制,是为了维护弱势群体合法权益,建议明确规定劳动争议仲裁免费,但实行仲裁免费后,劳动争议仲裁机构的办案和日常经费应当由财政保障。9月28日,全国人大法律委员会召开会议,审议劳动争议调解仲裁法草案。根据常委委员的意见,法律委经研究,对草案作出修改,规定:“劳动争议仲裁不收费。劳动争议仲裁委员会的经费由财政予以保障。”

第五十四条　本法自2008年5月1日起施行。

【释义】 本条是关于法律生效日期的规定。

法律生效日期的问题,是任何一部法律都要涉及的问题。一部法律通过以后,就产生了从什么时候开始起生效、在什么地域范围内生效、对什么人有效的问题,这些问题就是法律的效力范围问题。法律效力范围包括时间效力、空间效力和对人的效力三个方面。法律的生效日期是法律的时间效力问题的规定。

法律时间效力又包括法律从何时起开始生效、到何时终止生效和法律生效后有无溯及力三个问题。关于生效日期的规定,有以下几种情况:

(1)在法律条文中规定“本法自×年×月×日起施行”,直接规定具体的生效日期。

(2)在法律条文中没有直接规定具体的生效日期,而是规定“本法自公布之日起施行”,但法律何时公布,根据我国宪法关于法律由国家主席公布的规定,则由国家主席发布主席令来确定。目前,国家主席一般都是于全国人大或者全国人大常委会通过法律的当天发布命令公布法律,如 1998 年 6 月 26 日第九届全国人民代表大会常务委员会第三次会议通过的《中华人民共和国专属经济区和大陆架法》第十六条规定:"本法自公布之日起施行。"同日,国家主席江泽民发布主席令,公布了该法。

(3)规定一个法律的生效日期取决于另一个法律的制定和实施时间,如 1986 年 12 月 2 日第六届全国人民代表大会常务委员会第十八次会议通过的《中华人民共和国企业破产法(试行)》第四十三条规定:"本法自全民所有制工业企业法实施满 3 个月之日起试行。"当时,全民所有制企业法尚未制定出来,所以《企业破产法(试行)》最终开始生效的时间是《全民所有制工业企业法》1988 年 8 月 1 日生效后 3 个月的 1988 年 11 月 1 日。

本法采取第一种方式,即在法律中明确规定本法的实施日期,本条明确规定本法自 2008 年 5 月 1 日起施行,即本法自 2008 年 5 月 1 日起产生法律效力。本法自颁布至施行间隔将近半年左右的时间。这主要是为了使各有关方面利用这段时间做好本法实施的准备工作:一是要认真清理以前制定的各种法规、规章、办法、规定等,凡发现与本法规定相抵触的,都要予以废止或修改;二是本法规定的一些措施制度,需要一些配套规定进行具体化,有关部门应当抓紧制定有关配套规定;三是有关部门应当做好对本法的学习宣传工作等,为本法的实施创造良好的条件。

此外,法律的时间效力问题,还涉及法律有无溯及力的问题。所谓溯及力,又称溯及既往的效力,是指法律生效以后能否适用于生效以前的行为,如果适用,就表明具有溯及力,如果不能适用,就表明没有溯及力。我国的法律,一般是没有溯及力的,法律如果有溯及力,那么就应当在法律条文中对此作出明确的规定。本法没有关于溯及力问题的规定,这表明,本法没有溯及力。

第二部分 附 录

中华人民共和国劳动争议调解仲裁法

（2007 年 12 月 29 日第十届全国人民代表大会常务委员会第三十一次会议通过）

目 录

第一章 总　　则

第一条 为了公正及时解决劳动争议，保护当事人合法权益，促进劳动关系和谐稳定，制定本法。

第二条 中华人民共和国境内的用人单位与劳动者发生的下列劳动争议，适用本法：

（一）因确认劳动关系发生的争议；

（二）因订立、履行、变更、解除和终止劳动合同发生的争议；

（三）因除名、辞退和辞职、离职发生的争议；

（四）因工作时间、休息休假、社会保险、福利、培训以及劳动保护发生的争议；

（五）因劳动报酬、工伤医疗费、经济补偿或者赔偿金等发生的争议；

（六）法律、法规规定的其他劳动争议。

第三条 解决劳动争议，应当根据事实，遵循合法、公正、及时、着重调解的原则，依法保护当事人的合法权益。

第四条 发生劳动争议，劳动者可以与用人单位协商，也可以请工会或者第三方共同与用人单位协商，达成和解协议。

第五条 发生劳动争议，当事人不愿协商、协商不成或者达成和解协议后不履行的，可以向调解组织申请调解；不愿调解、调解不成或者达成调解协议后不履行的，可以向劳动争议仲裁委员会申请仲裁；对仲裁裁决不服的，除本法另有规定的外，可以向人民法院提起诉讼。

第六条 发生劳动争议，当事人对自己提出的主张，有责任提供证据。与争议事项有关的证据属于用人单位掌握管理的，用人单位应当提供；用人单位不提供的，应当承担不利后果。

第七条　发生劳动争议的劳动者一方在十人以上，并有共同请求的，可以推举代表参加调解、仲裁或者诉讼活动。

第八条　县级以上人民政府劳动行政部门会同工会和企业方面代表建立协调劳动关系三方机制，共同研究解决劳动争议的重大问题。

第九条　用人单位违反国家规定，拖欠或者未足额支付劳动报酬，或者拖欠工伤医疗费、经济补偿或者赔偿金的，劳动者可以向劳动行政部门投诉，劳动行政部门应当依法处理。

第二章　调　　解

第十条　发生劳动争议，当事人可以到下列调解组织申请调解：

（一）企业劳动争议调解委员会；

（二）依法设立的基层人民调解组织；

（三）在乡镇、街道设立的具有劳动争议调解职能的组织。

企业劳动争议调解委员会由职工代表和企业代表组成。职工代表由工会成员担任或者由全体职工推举产生，企业代表由企业负责人指定。企业劳动争议调解委员会主任由工会成员或者双方推举的人员担任。

第十一条　劳动争议调解组织的调解员应当由公道正派、联系群众、热心调解工作，并具有一定法律知识、政策水平和文化水平的成年公民担任。

第十二条　当事人申请劳动争议调解可以书面申请，也可以口头申请。口头申请的，调解组织应当当场记录申请人基本情况、申请调解的争议事项、理由和时间。

第十三条 调解劳动争议，应当充分听取双方当事人对事实和理由的陈述，耐心疏导，帮助其达成协议。

第十四条 经调解达成协议的，应当制作调解协议书。

调解协议书由双方当事人签名或者盖章，经调解员签名并加盖调解组织印章后生效，对双方当事人具有约束力，当事人应当履行。

自劳动争议调解组织收到调解申请之日起十五日内未达成调解协议的，当事人可以依法申请仲裁。

第十五条 达成调解协议后，一方当事人在协议约定期限内不履行调解协议的，另一方当事人可以依法申请仲裁。

第十六条 因支付拖欠劳动报酬、工伤医疗费、经济补偿或者赔偿金事项达成调解协议，用人单位在协议约定期限内不履行的，劳动者可以持调解协议书依法向人民法院申请支付令。人民法院应当依法发出支付令。

第三章 仲 裁

第一节 一般规定

第十七条 劳动争议仲裁委员会按照统筹规划、合理布局和适应实际需要的原则设立。省、自治区人民政府可以决定在市、县设立；直辖市人民政府可以决定在区、县设立。直辖市、设区的市也可以设立一个或者若干个劳动争议仲裁委员会。劳动争议仲裁委员会不按行政区划层层设立。

第十八条 国务院劳动行政部门依照本法有关规定制定仲

裁规则。省、自治区、直辖市人民政府劳动行政部门对本行政区域的劳动争议仲裁工作进行指导。

第十九条 劳动争议仲裁委员会由劳动行政部门代表、工会代表和企业方面代表组成。劳动争议仲裁委员会组成人员应当是单数。

劳动争议仲裁委员会依法履行下列职责：

（一）聘任、解聘专职或者兼职仲裁员；

（二）受理劳动争议案件；

（三）讨论重大或者疑难的劳动争议案件；

（四）对仲裁活动进行监督。

劳动争议仲裁委员会下设办事机构，负责办理劳动争议仲裁委员会的日常工作。

第二十条 劳动争议仲裁委员会应当设仲裁员名册。

仲裁员应当公道正派并符合下列条件之一：

（一）曾任审判员的；

（二）从事法律研究、教学工作并具有中级以上职称的；

（三）具有法律知识、从事人力资源管理或者工会等专业工作满五年的；

（四）律师执业满三年的。

第二十一条 劳动争议仲裁委员会负责管辖本区域内发生的劳动争议。

劳动争议由劳动合同履行地或者用人单位所在地的劳动争议仲裁委员会管辖。双方当事人分别向劳动合同履行地和用人单位所在地的劳动争议仲裁委员会申请仲裁的，由劳动合同履行地的劳动争议仲裁委员会管辖。

第二十二条　发生劳动争议的劳动者和用人单位为劳动争议仲裁案件的双方当事人。

劳务派遣单位或者用工单位与劳动者发生劳动争议的，劳务派遣单位和用工单位为共同当事人。

第二十三条　与劳动争议案件的处理结果有利害关系的第三人，可以申请参加仲裁活动或者由劳动争议仲裁委员会通知其参加仲裁活动。

第二十四条　当事人可以委托代理人参加仲裁活动。委托他人参加仲裁活动，应当向劳动争议仲裁委员会提交有委托人签名或者盖章的委托书，委托书应当载明委托事项和权限。

第二十五条　丧失或者部分丧失民事行为能力的劳动者，由其法定代理人代为参加仲裁活动；无法定代理人的，由劳动争议仲裁委员会为其指定代理人。劳动者死亡的，由其近亲属或者代理人参加仲裁活动。

第二十六条　劳动争议仲裁公开进行，但当事人协议不公开进行或者涉及国家秘密、商业秘密和个人隐私的除外。

第二节　申请和受理

第二十七条　劳动争议申请仲裁的时效期间为一年。仲裁时效期间从当事人知道或者应当知道其权利被侵害之日起计算。

前款规定的仲裁时效，因当事人一方向对方当事人主张权利，或者向有关部门请求权利救济，或者对方当事人同意履行义务而中断。从中断时起，仲裁时效期间重新计算。

因不可抗力或者有其他正当理由，当事人不能在本条第一款规定的仲裁时效期间申请仲裁的，仲裁时效中止。从中止时效的原因消除之日起，仲裁时效期间继续计算。

劳动关系存续期间因拖欠劳动报酬发生争议的，劳动者申请仲裁不受本条第一款规定的仲裁时效期间的限制；但是，劳动关系终止的，应当自劳动关系终止之日起一年内提出。

第二十八条　申请人申请仲裁应当提交书面仲裁申请，并按照被申请人人数提交副本。

仲裁申请书应当载明下列事项：

（一）劳动者的姓名、性别、年龄、职业、工作单位和住所，用人单位的名称、住所和法定代表人或者主要负责人的姓名、职务；

（二）仲裁请求和所根据的事实、理由；

（三）证据和证据来源、证人姓名和住所。

书写仲裁申请确有困难的，可以口头申请，由劳动争议仲裁委员会记入笔录，并告知对方当事人。

第二十九条　劳动争议仲裁委员会收到仲裁申请之日起五日内，认为符合受理条件的，应当受理，并通知申请人；认为不符合受理条件的，应当书面通知申请人不予受理，并说明理由。对劳动争议仲裁委员会不予受理或者逾期未作出决定的，申请人可以就该劳动争议事项向人民法院提起诉讼。

第三十条　劳动争议仲裁委员会受理仲裁申请后，应当在五日内将仲裁申请书副本送达被申请人。

被申请人收到仲裁申请书副本后，应当在十日内向劳动争议仲裁委员会提交答辩书。劳动争议仲裁委员会收到答辩书后，应当在五日内将答辩书副本送达申请人。被申请人未提交答辩书的,不影响仲裁程序的进行。

第三节 开庭和裁决

第三十一条 劳动争议仲裁委员会裁决劳动争议案件实行仲裁庭制。仲裁庭由三名仲裁员组成,设首席仲裁员。简单劳动争议案件可以由一名仲裁员独任仲裁。

第三十二条 劳动争议仲裁委员会应当在受理仲裁申请之日起五日内将仲裁庭的组成情况书面通知当事人。

第三十三条 仲裁员有下列情形之一,应当回避,当事人也有权以口头或者书面方式提出回避申请:

(一)是本案当事人或者当事人、代理人的近亲属的;

(二)与本案有利害关系的;

(三)与本案当事人、代理人有其他关系,可能影响公正裁决的;

(四)私自会见当事人、代理人,或者接受当事人、代理人的请客送礼的。

劳动争议仲裁委员会对回避申请应当及时作出决定,并以口头或者书面方式通知当事人。

第三十四条 仲裁员有本法第三十三条第四项规定情形,或者有索贿受贿、徇私舞弊、枉法裁决行为的,应当依法承担法律责任。劳动争议仲裁委员会应当将其解聘。

第三十五条 仲裁庭应当在开庭五日前,将开庭日期、地点书面通知双方当事人。当事人有正当理由的,可以在开庭三日前请求延期开庭。是否延期,由劳动争议仲裁委员会决定。

第三十六条 申请人收到书面通知,无正当理由拒不到庭或者未经仲裁庭同意中途退庭的，可以视为撤回仲裁申请。

被申请人收到书面通知，无正当理由拒不到庭或者未经仲裁庭同意中途退庭的，可以缺席裁决。

第三十七条　仲裁庭对专门性问题认为需要鉴定的，可以交由当事人约定的鉴定机构鉴定；当事人没有约定或者无法达成约定的，由仲裁庭指定的鉴定机构鉴定。

根据当事人的请求或者仲裁庭的要求，鉴定机构应当派鉴定人参加开庭。当事人经仲裁庭许可，可以向鉴定人提问。

第三十八条　当事人在仲裁过程中有权进行质证和辩论。质证和辩论终结时，首席仲裁员或者独任仲裁员应当征询当事人的最后意见。

第三十九条　当事人提供的证据经查证属实的，仲裁庭应当将其作为认定事实的根据。

劳动者无法提供由用人单位掌握管理的与仲裁请求有关的证据，仲裁庭可以要求用人单位在指定期限内提供。用人单位在指定期限内不提供的，应当承担不利后果。

第四十条　仲裁庭应当将开庭情况记入笔录。当事人和其他仲裁参加人认为对自己陈述的记录有遗漏或者差错的，有权申请补正。如果不予补正，应当记录该申请。

笔录由仲裁员、记录人员、当事人和其他仲裁参加人签名或者盖章。

第四十一条　当事人申请劳动争议仲裁后，可以自行和解。达成和解协议的，可以撤回仲裁申请。

第四十二条　仲裁庭在作出裁决前，应当先行调解。

调解达成协议的，仲裁庭应当制作调解书。

调解书应当写明仲裁请求和当事人协议的结果。调解书由仲裁员签名,加盖劳动争议仲裁委员会印章,送达双方当事人。调解书经双方当事人签收后,发生法律效力。

调解不成或者调解书送达前,一方当事人反悔的,仲裁庭应当及时作出裁决。

第四十三条 仲裁庭裁决劳动争议案件,应当自劳动争议仲裁委员会受理仲裁申请之日起四十五日内结束。案情复杂需要延期的,经劳动争议仲裁委员会主任批准,可以延期并书面通知当事人,但是延长期限不得超过十五日。逾期未作出仲裁裁决的,当事人可以就该劳动争议事项向人民法院提起诉讼。

仲裁庭裁决劳动争议案件时,其中一部分事实已经清楚,可以就该部分先行裁决。

第四十四条 仲裁庭对追索劳动报酬、工伤医疗费、经济补偿或者赔偿金的案件,根据当事人的申请,可以裁决先予执行,移送人民法院执行。

仲裁庭裁决先予执行的,应当符合下列条件:

(一)当事人之间权利义务关系明确;

(二)不先予执行将严重影响申请人的生活。

劳动者申请先予执行的,可以不提供担保。

第四十五条 裁决应当按照多数仲裁员的意见作出,少数仲裁员的不同意见应当记入笔录。仲裁庭不能形成多数意见时,裁决应当按照首席仲裁员的意见作出。

第四十六条 裁决书应当载明仲裁请求、争议事实、裁决理由、裁决结果和裁决日期。裁决书由仲裁员签名,加盖劳动争议仲裁委员会印章。对裁决持不同意见的仲裁员,可以签名,也可以不签名。

第四十七条 下列劳动争议,除本法另有规定的外,仲裁裁决为终局裁决,裁决书自作出之日起发生法律效力:

(一)追索劳动报酬、工伤医疗费、经济补偿或者赔偿金,不超过当地月最低工资标准十二个月金额的争议;

(二)因执行国家的劳动标准在工作时间、休息休假、社会保险等方面发生的争议。

第四十八条 劳动者对本法第四十七条规定的仲裁裁决不服的,可以自收到仲裁裁决书之日起十五日内向人民法院提起诉讼。

第四十九条 用人单位有证据证明本法第四十七条规定的仲裁裁决有下列情形之一,可以自收到仲裁裁决书之日起三十日内向劳动争议仲裁委员会所在地的中级人民法院申请撤销裁决:

(一)适用法律、法规确有错误的;

(二)劳动争议仲裁委员会无管辖权的;

(三)违反法定程序的;

(四)裁决所根据的证据是伪造的;

(五)对方当事人隐瞒了足以影响公正裁决的证据的;

(六)仲裁员在仲裁该案时有索贿受贿、徇私舞弊、枉法裁决行为的。

人民法院经组成合议庭审查核实裁决有前款规定情形之一的,应当裁定撤销。

仲裁裁决被人民法院裁定撤销的,当事人可以自收到裁定书之日起十五日内就该劳动争议事项向人民法院提起诉讼。

第五十条 当事人对本法第四十七条规定以外的其他劳动争议案件的仲裁裁决不服的,可以自收到仲裁裁决书之日起十五日内向人民法院提起诉讼;期满不起诉的,裁决书发生法律效力。

第五十一条 当事人对发生法律效力的调解书、裁决书,应当依照规定的期限履行。一方当事人逾期不履行的,另一方当事人可以依照民事诉讼法的有关规定向人民法院申请执行。受理申请的人民法院应当依法执行。

第四章 附 则

第五十二条 事业单位实行聘用制的工作人员与本单位发生劳动争议的,依照本法执行;法律、行政法规或者国务院另有规定的,依照其规定。

第五十三条 劳动争议仲裁不收费。劳动争议仲裁委员会的经费由财政予以保障。

第五十四条 本法自2008年5月1日起施行。

关于《中华人民共和国劳动争议调解仲裁法（草案）》的说明

根据十届全国人大常委会立法计划，全国人大常委会法制工作委员会从2005年10月开始起草劳动争议调解仲裁法（草案）。2007年4月将劳动争议调解仲裁法（草案征求意见稿）印发有关单位、地方征求意见。并多次召开座谈会听取一些全国人大代表、专家和国务院有关部门、地方的意见。经反复研究各方面意见，形成了《中华人民共和国劳动争议调解仲裁法（草案）》。现将草案的几个主要问题说明如下：

一、劳动争议处理的现状和问题

我国于1987年恢复了劳动争议仲裁制度，随着1993年企业劳动争议处理条例和1994年劳动法的相继颁布实施，形成了"一调一裁两审"的劳动争议处理程序，即发生劳动争议先调解、再仲裁、再经两次审判的程序。这一程序制度对解决劳动争议发挥了十分重要的作用。同时，随着经济和社会的发展，经济结构和就业方式的变化，劳动争议处理面临许多新情况、新问题，主要表现为：一是，近年来全国劳动争议案件数量持续大幅上升，争议案件日趋复杂，争议内容日益多样化，调处难度加大。二是，劳动仲裁机构和人员非专业化的弱点日益显现出来，劳动仲裁规则层级低而且因地而异，缺乏公信力。三是，劳动争议处理周期长，劳动者维权成本高。草案总结劳动争议处理的实践经验，针对劳动争议处理工作中的新情况和新问题，尽最大可能将劳动争议案件解决于基层，强化调解、完善仲裁、加强司法救济，以及时妥善处理劳动争议，维护当事人合法权益，发展和谐稳定的劳动关系，促进社会和谐。

二、关于劳动争议处理程序

在征求意见过程中，有的建议将现行的发生劳动争议必须先经仲裁才能向人民法院提起诉讼的程序，修改为由当事人选择仲裁或者诉讼的程序，不再将仲裁作为必经程序，以解决劳动争议处理时间长的问题。经反复研究，现行的劳动争议处理程序，经过二十多年实践，已经被社会所接受，不宜轻易否定。首先，“一调一裁两审”能够充分发挥调解和仲裁的作用，使劳动争议尽可能地在比较平和的气氛中得到解决，尽量减少打官司。其次，劳动合同与民事合同不同，劳动合同法确立了由政府、工会、企业建立的三方协调机制，劳动行政部门作为政府的主管部门应当督促当事人履行义务，防止争议的发生，也有责任在劳动争议的处理过程中发挥作用。这也是一些国家的通行做法。草案基本维持现行“一调一裁两审”的程序，同时针对劳动争议案件处理周期长的问题，规定部分案件一裁终局。一是，草案规定：“发生劳动争议，当事人不愿协商、协商不成或者和解后反悔的，可以向劳动调解组织申请调解；不愿调解、调解不成或者达成调解协议后反悔的，向劳动仲裁委员会申请仲裁。对仲裁裁决不服的，除本法另有规定的外，可以向人民法院提起诉讼。”（草案第五条）二是，草案规定：“下列劳动争议仲裁案件，仲裁裁决为终局裁决，裁决书自作出之日起发生法律效力：（一）劳动报酬、工伤医疗费、经济补偿、养老金或者赔偿金，不超过当地月最低工资标准十二个月金额的争议；（二）因执行国家的劳动标准在工作时间、休息休假、社会保险等方面发生的争议；（三）因履行集体合同发生的争议。”（草案第四十四条）据测算，按照这样的规定，大约一半左右的劳动争议可以通过仲裁解决。

三、关于劳动争议处理的组织机构

（一）关于劳动调解组织。为了尽可能把劳动争议解决在基层，最大限度地利用现有调解组织的功能，草案规定：“企业可以设立劳动调解委员会，依法调解本企业发生的劳动争议。”“企业劳动调解委员会由职工代表和企业代表组成。职工代表由工会成员担任或者由全体职工推举产生；企业代表由企业负责人指定。企业劳动调解委员会主任由双方推举产生。”（草案第十条）同时为了充分利用企业劳动调解委员会、基层人民调解组织及其他依法在乡镇、街道设立的劳动调解组织的资源，草案规定：“发生劳动争议，当事人可以到下列任一调解组织申请劳动调解：（一）企业劳动调解委员会；（二）基层人民调解组织；（三）依法在乡镇、街道设立的劳动调解组织。”（草案第十一条）

（二）关于劳动仲裁委员会。为了方便当事人申请仲裁，提高仲裁机构的效能，草案在整合现有的劳动仲裁委员会的基础上，规定：“省级人民政府根据需要在县、不设区的市或者在设区的市、直辖市设立劳动仲裁委员会。劳动仲裁委员会不按行政区划层层设立。”“劳动仲裁委员会由劳动行政部门代表、工会代表和企业方面代表组成。劳动仲裁委员会组成人员必须是单数。”“劳动仲裁委员会聘任仲裁员，依法仲裁劳动争议案件。”“劳动仲裁委员会下设办事机构，负责办理劳动仲裁委员会的日常工作。”（草案第十七条）

四、关于劳动争议调解仲裁的时效、期限和效力

（一）关于时效。劳动法规定劳动争议仲裁的时效为“自劳动争议发生之日起六十日内”。这一时效规定是为尽快地解决劳动争议。但这一规定在实际执行中，由于一些劳动者不熟悉法律规定，而失去了通过仲裁和诉讼手段保护自己权益的救济途径。为了更好地保护当事人的合法利益，草案适当延长了时效，并完善了时效中断、中止制度，规定：“劳动争议申请仲裁的时效期间为六个月。仲裁时效期间从当事人知道或者应当知道其权利被侵害之日起计算。”“前款规定的时效，因当事人一方向对方当事人主张权利，或者向有关部门请求权利救济，或者对方当事人同意履行义务而中断。从中断时起，时效期间重新计算。”“因不可抗力或者有其他正当理由，当事人不能依照本条第一款规定申请仲裁的，时效中止。从中止时效的原因消除之日起，时效期间继续计算。”（草案第二十三条）

（二）关于期限。为了提高调解和仲裁效率，草案对劳动调解和劳动仲裁的期限作了明确规定：一是，“十五日内未达成调解协议的，视为调解不成。”（草案第十四条第二款）二是，“仲裁庭裁决劳动争议案件，应当自组成仲裁庭之日起三十日内结束。案情复杂需要延期的，经劳动仲裁委员会主任批准，可以延期，

但是延长期限不得超过十五日。逾期未作出仲裁裁决的,当事人可以向人民法院提起诉讼。”(草案第四十条第一款)

(三)关于调解仲裁的效力。一是,为了强化调解,草案规定:“因支付拖欠劳动报酬、工伤医疗费或者经济补偿事项达成调解协议,用人单位在十五日内拒不履行的,当事人可以持调解协议书依法向人民法院申请支付令。”(草案第十五条)二是,赋予强制执行力,草案规定,当事人对发生法律效力的调解书、裁决书和判决,应当依照规定的期限履行。一方当事人逾期不履行的,另一方当事人可以依照民事诉讼法的有关规定向人民法院申请执行。(草案第四十七条第一款)

五、关于劳动争议诉讼制度

劳动争议诉讼是劳动争议处理的一个重要环节,也是当事人最终的司法救济渠道。草案对劳动争议诉讼作了与诉讼法衔接性的规定:一是,草案规定,劳动仲裁委员会对当事人的仲裁申请不予受理的,申请人可以自收到不予受理通知书之日起十五日内向人民法院提起诉讼。(草案第二十五条)二是,草案规定,对本法第四十四条规定终局裁决的案件,当事人可以依法申请人民法院撤销仲裁裁决或者不予执行。(草案第四十五条、第四十七条)三是,草案规定,当事人对本法第四十四条规定以外的其他劳动争议案件的仲裁裁决不服的,可以自收到仲裁裁决书之日起十五日内向人民法院提起诉讼。(草案第四十六条)至于具体诉讼程序,适用民事诉讼法的有关规定。

《中华人民共和国劳动争议调解仲裁法(草案)》和以上说明是否妥当,请审议。

全国人大法律委员会关于《中华人民共和国劳动争议调解仲裁法(草案二次审议稿)》审议结果的报告

全国人民代表大会常务委员会:

常委会第三十次会议对劳动争议调解仲裁法(草案二次审议稿)进行了再次审议。会后,法制工作委员会召开座谈会,听取有关劳动法律专家的意见,并与劳动保障部等有关部门就进一步修改草案二次审议稿交换意见。法律委员会于12月7日召开会议,根据常委会组成人员的审议意见和各方面的意见,对草案二次审议稿进行了逐条审议。国务院法制办和劳动保障部的负责同志、全国人大财政经济委员会和全国总工会的有关同志列席了会议。12月19日,法律委员会召开会议,再次进行了审议。法律委员会认为,为了公正及时解决劳动争议,保护当事人合法权益,促进劳动关系和谐稳定,制定本法是必要的。草案经过常委会两次审议、修改,基本可行;同时,提出以下主要修改意见:

一、有些常委委员、部门和专家提出，目前拖欠劳动报酬等不少问题是由于用人单位违法而造成的，劳动行政部门加强劳动监察，对一些明显的违法行为依法及时处理，可以预防和减少相当一部分劳动争议，从而降低劳动者维权成本。法律委员会经同财政经济委员会和国务院法制办、劳动保障部、全国总工会研究，建议增加规定："用人单位违反国家规定，拖欠或者未足额支付劳动报酬，或者拖欠工伤医疗费、经济补偿或者赔偿金的，劳动者可以向劳动行政部门投诉，劳动行政部门应当依法处理。"（草案三次审议稿第九条）

二、草案二次审议稿第十一条规定，企业劳动争议调解委员会主任由双方推举产生。有些常委会组成人员和全国总工会提出，依照劳动法的规定，目前国有企业的劳动争议调解委员会主任是由工会代表担任的，建议草案对此作出衔接性的规定。法律委员会经同财政经济委员会和国务院法制办、劳动保障部、全国总工会研究，建议将这一条修改为："企业劳动争议调解委员会由职工代表和企业代表组成。职工代表由工会成员担任或者由全体职工推举产生；企业代表由企业负责人指定。企业劳动争议调解委员会主任由工会代表或者双方推举的人员担任。"（草案三次审议稿第十条第二款）

三、草案二次审议稿第二十一条对劳动争议案件的仲裁管辖作了规定。有的常委委员和专家提出，劳动争议案件的仲裁管辖的确定，应当遵循方便劳动者仲裁的原则。法律委员会经同财政经济委员会和国务院法制办、劳动保障部、全国总工会研究，建议将这一条第二款修改为："劳动争议由用人单位所在地或者劳动合同履行地的劳动争议仲裁委员会管辖。劳动者和用人单位分别向用人单位所在地或者劳动合同履行地的劳动争议仲裁委员会申请仲裁的,由劳动者一方申请仲裁的劳动争议仲裁委员会管辖。”(草案三次审议稿第二十一条第二款)

四、草案二次审议稿第四十七条规定部分劳动争议仲裁案件实行一裁终局。有些常委委员、部门和专家提出,这一规定有利于解决劳动争议处理周期过长的问题,但不一定都有利于保护劳动者的合法权益,建议再作斟酌。有的常委委员和专家建议规定劳动者对仲裁裁决无异议的案件为终局裁决。法律委员会经同财政经济委员会和国务院法制办、劳动保障部、全国总工会研究认为,草案第四十八条对当事人可以申请撤销仲裁裁决作了规定。在保障双方当事人救济权利的前提下,需要使劳动者行使救济权利更方便,对其保障更充分。据此,法律委员会建议将草案二次审议稿第四十八条分为两条,规定:“劳动者对本法第四十七条规定的仲裁裁决有异议的,可以自收到仲裁裁决书之日起十五日内向人民法院提起诉讼。”(草案三次审议稿第四十八条)用人单位有证据证明有本条所列六种法定情形之一的,“可以自收到裁决书之日起三十日内向劳动争议仲裁委员会所在地的中级人民法院申请撤销裁决”。“仲裁裁决被人民法院裁定撤销的,当事人可以在收到裁定书之日起十五日内就该劳动争议事项向人民法院提起诉讼。”(草案三次审议稿第四十九条第一款、第三款)。

这里还有一个问题需要汇报。草案二次审议稿第十八条第一款规定了劳动争议仲裁委员会按照统筹规划、合理布局和适应实际需要的原则设立,不按行政区划层层设立。对这一规定,常委会组成人员没有提出不同意见。劳动保障部提出,目前许多地方已形成了省、市、县三级劳动争议仲裁委员会的格局，草案二次审议稿上述规定将使现状作出较大变动，建议删去上述规定中“劳动争议仲裁委员会不按行政区划层层设立”一句。法律委员会经同国务院法制办研究认为，劳动争议仲裁委员会的设立应当体现精简、效率、有利于将劳动纠纷化解于基层、及时处理劳动争议的原则，不宜省、市、县三级层层都设立劳动争议仲裁委员会。因此，法律委员会建议维持草案二次审议稿的规定。（草案三次审议稿第十七条）

此外，还对草案二次审议稿作了一些文字修改。

草案三次审议稿已按上述意见作了修改，法律委员会建议本次常委会会议审议通过。

草案三次审议稿和以上报告是否妥当，请审议。

全国人大法律委员会

全国人大法律委员会关于《中华人民共和国劳动争议调解仲裁法(草案三次审议稿)》修改意见的报告

全国人大法律委员会主任委员　杨景宇

全国人民代表大会常务委员会:

本次常委会于12月24日上午对劳动争议调解仲裁法(草案三次审议稿)进行了分组审议。普遍认为,这个法律草案已经比较成熟,建议进一步修改后,提请本次常委会表决通过;同时,有些常委委员又提出了一些修改意见。法律委员会于12月26日召开会议,逐条研究了常委委员的审议意见,对草案进行了审议。财政经济委员会和国务院法制办、劳动保障部、全国总工会的负责同志列席了会议。法律委员会认为,这个法律草案是可行的;同时提出以下主要修改意见:

一、草案三次审议稿第二十九条规定了申请人可以自收到不予受理通知书之日起十五日内就该劳动争议事项向人民法院提起诉讼。有的常委委员提出，申请人收到劳动争议仲裁委员会作出的不予受理通知书后，应当给予申请人充分的时间去为诉讼做准备，而不应将申请人就劳动争议事项提起诉讼的时效限定为十五日。另外，对劳动争议仲裁委员会逾期未作出受理或者不予受理决定的，申请人也应可以向人民法院提起诉讼。法律委员会经同财政经济委员会和国务院法制办、劳动保障部、全国总工会研究，赞同这一意见，建议将这一条修改为："劳动争议仲裁委员会收到仲裁申请之日起五日内，认为符合受理条件的，应当受理，并通知申请人；认为不符合受理条件的，应当书面通知申请人不予受理，并说明理由。对劳动争议仲裁委员会不予受理或者逾期未作出决定的，申请人可以就该劳动争议事项向人民法院提起诉讼。"（草案建议表决稿第二十九条）

二、草案三次审议稿有些条款规定的劳动争议仲裁期间为"三日"或者"五日"。有些专家和劳动保障部建议对一些时限较短的劳动争议仲裁期间，应明确规定为工作日。法律委员会经同财政经济委员会和国务院法制办、劳动保障部、全国总工会研究，建议增加规定："本法规定的劳动争议仲裁期间为'三日'、'五日'的，是指工作日，不含法定节假日。"（草案建议表决稿第五十四条）

此外，还对草案三次审议稿作了一些文字修改。

草案建议表决审议稿已按上述意见作了修改，法律委员会建议本次常委会会议通过。

草案建议表决稿和以上报告是否妥当，请审议。

全国人大常委会第三十一次会议分组审议《中华人民共和国劳动争议调解仲裁法（草案三次审议稿）》的意见

12 月 24 日上午，全国人大常委会第三十一次会议分组审议了劳动争议调解仲裁法（草案三次审议稿）。大家认为，草案三次审议稿修改得比较成熟，建议本次常委会审议通过。现将具体修改意见简报如下：

1. 有的委员提出，草案三次审议稿第二条规定的“工伤医疗费”用词不准确，除了工伤医疗费之外还应享受工伤待遇，建议修改。

2. 有的委员建议将草案三次审议稿第四条中的“劳动者”和“用人单位”修改为“当事人”。

3. 有的委员提出，草案三次审议稿第八条没有明确规定劳动争议的管理机构，建议增加一款规定“劳动行政部门对劳动争议的处理统一进行监督管理”。

4. 有的委员提出，草案三次审议稿第九条的规定属于行政执法，不宜在本法中规定。如果在本法中规定范围又太窄，建议研究修改。

5. 有的委员提出，草案三次审议稿第十条规定的调解组织比较多，建议强化对调解组织的监督管理。杨兴富委员建议在草案三次审议稿第十条增加“区域性、行业性组织”。

6. 有的代表提出，草案三次审议稿第十六条的表述不准确，如果按照民事诉讼法的规定，用人单位提出异议的，劳动者可以直接起诉，这样就会与仲裁前置制度相矛盾，建议再作斟酌。

7. 有的委员提出，草案三次审议稿第十七条对劳动争议仲裁委员会如何设立表述不明确，应当由劳动部门统一进行管理。

8. 有的委员提出，草案三次审议稿第十八条规定，劳动行政部门依照本法有关规定制定仲裁规则，在这个过程中应当听取其他有关部门和工会的意见。奉恒高委员建议将草案三次审议稿第十八条中的“指导”修改为“领导”。

9. 有的委员提出，草案三次审议稿第二十九条规定申请人可以自收到不予受理通知书之日起十五日内向人民法院提起诉讼，限制了当事人的诉讼权利，建议删去“十五日内”的规定。陈秀荣委员建议将“由本级人民政府责令改正”修改为“由本级人民政府或者劳动行政部门责令改正”。

10. 有的委员提出，草案三次审议稿第三十四条关于仲裁员法律责任的规定不明确，建议根据处理机关的不同分类进行规定，并将本条移至第三章最后进行规定。

11. 有的委员建议在草案三次审议稿第四十七条第（二）项中增加“女职工保护”的内容。

12. 有的代表提出，草案三次审议稿第四十七条、第四十八条、第四十九条的规定剥夺了用人单位的诉讼权利,不利于对一些个体户和小企业主权利的保护,建议再作斟酌。

13. 有的委员提出,草案三次审议稿第四十七条的规定是本法的亮点,但第四十八条又在一定程度上削弱了一裁终局的效果。

14. 有的代表提出,草案三次审议稿第五十三条关于仲裁不收费的规定不妥当,应当参照民事诉讼收费的规定。

15. 有的代表提出,应明确劳动争议双方当事人有无权利委托律师参加仲裁活动。

十届全国人大常委会第三十次会议分组审议劳动争议调解仲裁法（草案二次审议稿）的意见

2007年10月26日上午，十届全国人大常委会第三十次会议分组对劳动争议调解仲裁法（草案二次审议稿）进行了审议。大家普遍认为，二次审议稿在草案的基础上，吸收了常委会组成人员和有关方面的意见和建议，针对市场经济条件下我国劳动关系的新特点和新情况，对一些制度作了修改和完善，更好地体现了维护劳动关系和谐稳定的立法宗旨。同时，常委会组成人员还提出了一些修改意见，现简报如下：

一、关于总则

草案二次审议稿第三条规定："解决劳动争议，应当根据事实，合法、公正、及时，着重调解，依法保护当事人的合法权益。"新年快乐委员提出，本条规定与草案二次审议稿第一条中的"保护当事人合法权益"有重复，建议删去"依法保护当事人的合法权益"。

草案二次审议稿第四条规定："发生劳动争议，劳动者可以与用人单位协商解决,也可以请工会或者第三方共同与用人单位进行协商,达成和解。”有的委员提出,为了体现本法保护双方当事人合法权益的立法宗旨,建议将本条以及第六条、第十七条中的“用人单位”修改为“双方”或者“当事人一方”。有的委员建议修改为“也可以请工会或者第三方共同与用人单位进行协商解决”。有的代表建议将“请”修改为“由”。

草案二次审议稿第六条规定,发生劳动争议,当事人对自己提出的主张,有责任提供证明材料。有的委员建议将“主张”修改为“事由”。

草案二次审议稿第七条规定:“发生劳动争议的劳动者一方在十人以上,并有共同诉求的,可以推举代表参加调解、仲裁或者诉讼活动。”有些委员和代表建议对代表名额的数量作出规定。

草案二次审议稿第八条规定:“因履行集体合同发生的争议,协商、调解不成的,当事人根据协议申请仲裁,或者提起诉讼。”有的委员提出,根据劳动合同法第五十六条和工会法第二十条的有关规定,因履行集体合同发生争议的,要先行仲裁,仲裁机构不予受理或对仲裁裁决不服的,可以向人民法院提起诉讼。建议将本条修改为:“因履行集体合同发生的争议,协商、调解不成的,当事人可以向劳动仲裁委员会申请仲裁,仲裁机构不予受理或对仲裁裁决不服的,可以向人民法院提起诉讼。”

草案二次审议稿第九条规定:“县级以上人民政府劳动行政部门会同工会和企业方面代表,建立健全协调劳动关系三方机制,共同研究解决劳动争议的重大问题。”有的委员建议应从四个方面对本条的内容进行细化:第一,三方协调机制研究解决重大问题的范围;第二,三方协调机制与仲裁委员会在处理具体劳动争议案件时的关系;第三,三方协调机制的议事程序;第四,三方各自的权利义务。有些委员提出,本条规定的内容在草案二次审议稿第十九条中已有表述,建议删去。

二、关于适用范围

草案二次审议稿第二条规定了本法的适用范围,其中第三项规定"因除名、辞退和辞职、离职发生的争议"。有的委员提出,目前劳动者与用人单位之间的劳动关系由劳动合同来调整,符合解除或终止劳动合同的条件时,劳动关系即可解除,不存在"辞退"的说法,建议删去"辞退"。第四项规定:"因工作时间、休息休假、社会保险、福利、培训以及劳动保护发生的争议"。有的代表提出,我国法律对社会保险已有明确规定,不应属于劳动争议的范畴,"培训"的内容不易确定,建议删去"社会保险"和"培训"。第五项规定:"因劳动报酬、工伤医疗费、经济补偿或者赔偿金等发生的争议。"有的委员建议增加"工伤认定"的内容。

有的委员提出,本法应当明确劳动争议与劳动违法的概念。属于劳动争议的由本法处理;属于劳动违法的,应由劳动监察部门解决。

三、关于裁审体制

有的委员认为,解决劳动争议应当实行"或裁或审"的体制,由当事人自己选择处理劳动争议的方式。有的委员提出,第一,"一裁两审"的制度设计过于复杂,增加了处理劳动争议的程序和成本，人民法院与劳动仲裁机构互相脱节，造成各方面资源的浪费；第二，“一裁两审”的制度设计使维权成本过高。提起劳动争议仲裁的主体大多数是一般员工，其中相当一部分是农民工，无论是时间还是财力，他们都难以负担；第三，“一裁两审”的劳动争议处理渠道过于狭窄和漫长，不适应当前井喷式增长趋势的劳动争议案的发生；第四，“一裁两审、仲裁前置”的制度，违反了仲裁自愿的原则。

四、关于劳动调解

有些委员提出，本法关于调解的规定过于笼统，应当对调解机构的设置、调解员聘任、调解的程序、调解协议的效力等作出具体规定。

草案二次审议稿第十条规定：“发生劳动争议，当事人可以到下列调解组织申请调解：（一）企业劳动争议调解委员会；（二）人民调解组织；（三）在乡镇、街道设立的具有劳动调解职能的组织。”有些委员提出，本法应对近年来作用发挥较好、成效明显的区域性、行业性劳动争议调解组织作出规定，建议删去第三项，并增加一项：“区域性、行业性调解组织。”

草案二次审议稿第十一条规定：“企业劳动争议调解委员会由职工代表和企业代表组成。职工代表由工会成员担任或者由全体职工推举产生；企业代表由企业负责人指定。企业劳动争议调解委员会主任由双方推举产生。”一些委员和同志提出，工会代表作为劳动争议调解委员会中的一方，来组织、主持企业劳动争议调解工作，是由我国工会的性质和特点所决定的。本款规定否定了企业工会在企业劳动争议调解中的地位和作用，改变了现有做法。根据本款规定，企业劳动调解委员会仅仅由职工代表和企业代表组成，在劳动者处于弱势的情况下，很难保证企业劳动调解委员会能够公平、公正地处理劳动争议，建议恢复原来的企业调解制度，将本条修改为“企业劳动争议调解委员会由职工代表、用人单位代表和工会代表组成。企业劳动争议调解委员会主任由工会代表担任；职工代表由全体职工推举产生；企业代表由企业负责人指定，工会代表由工会委员会推荐产生。”

草案二次审议稿第十五条第二款规定：“十五日内未达成调解协议的，视为调解不成。”有的代表建议明确“十五日”从何时开始计算。

五、关于支付令

草案二次审议稿第十七条规定：“因支付拖欠劳动报酬、工伤医疗费、经济补偿或者赔偿金事项达成调解协议，用人单位在协议约定期限届满时不履行的，当事人可以持调解协议书依法向人民法院申请支付令。人民法院应当依法发出支付令。”有的委员提出，根据民事诉讼法的规定，只要债务人提出异议，支付令就自行失效。规定支付令的本意是要通过支付令的程序，快速解决劳动争议，但本款规定反倒使劳动争议处理程序更加复杂、周期更长、成本更高，建议再作斟酌。

六、关于调解的效力

草案二次审议稿第十六条规定，双方当事人达成调解协议后，当事人可以反悔。有些委员和代表提出，在调解组织参与下达成的调解协议，具有民事合同性质，调解协议书可以作为人民法院审判的重要依据，不能因当事人反悔而失效。

七、关于劳动仲裁

有的委员建议增加规定仲裁机构的性质，明确仲裁委员会是劳动行政部门下属的具有行政执法职能的机关。

有些委员和代表建议增加规定对劳动仲裁委员会、仲裁员的监督机制。

有的委员建议把“仲裁员”的内容单独设一节，明确规定仲裁员的条件，禁止性条款，职业行为规范等内容。

草案二次审议稿第十八条第一款规定：“劳动争议仲裁委员会按照统筹规划、合理布局和适应实际需要的原则设立。省、自治区人民政府可以决定在市、县设立；直辖市人民政府可以决定在区、县设立。直辖市、设区的市也可以设立一个或者若干个劳动争议仲裁委员会。劳动争议仲裁委员会不按行政区划层层设立。”有的委员提出，本条规定与我国现行的行政管理体制不符，建议修改为“省、自治区、直辖市及市（地级市），设置劳动仲裁委员会，县（市）、区设立仲裁委员会由上一级人民政府决定”。

草案二次审议稿第十八条第二款规定：“国务院劳动行政部门依照本法有关规定制定仲裁规则。省、自治区、直辖市人民政府劳动行政部门对本行政区域的劳动争议仲裁工作进行指导。”有的委员建议将这一款修改为“国务院劳动行政部门会同中华全国总工会和中国企业家协会依照本法有关规定制定仲裁规则。省、自治区、直辖市人民政府劳动行政部门会同同级工会和企业方面代表，对本行政区域的劳动争议仲裁工作进行指导”。

草案二次审议稿第十九条第一款规定了劳动争议仲裁委员会由劳动行政部门代表、工会代表和企业方面代表组成。有的委员提出,本法的相关规定应当涵盖本法的适用范围,建议增加"事业单位方面代表"。

草案二次审议稿第十九条第二款规定了劳动争议仲裁委员会的职责,其中第二项规定"讨论重大或者疑难的劳动争议案件"。有的委员提出,根据本法规定,劳动争议仲裁委员会的职责不仅是讨论重大或者疑难的劳动争议案件,还包括处理一般的劳动争议案件,建议作相应修改。

草案二次审议稿第二十条规定了仲裁员的条件,其中第一项规定:"从事律师工作满五年的",第二项规定:"曾任审判员满五年的。"叶如棠委员提出,这两项规定对仲裁员的要求过高,只要具有律师资格、曾任审判员,就应该符合仲裁员的条件。有的代表建议增加一项:"在劳动、人事、行政部门已经从事仲裁工作满五年的。"

草案二次审议稿第二十二条规定了劳动争议仲裁案件的双方当事人。有的委员建议将第二十三条第二款对"共同当事人"的规定移作第二十二条第二款,使条文更符合逻辑。

草案二次审议稿第二十六条规定:"仲裁应当公开进行,但涉及国家秘密、商业秘密和个人隐私的除外。"有的委员建议在不公开仲裁的情形中增加"因双方当事人要求"的内容。

草案二次审议稿第二十八条第二款规定:"书写仲裁申请确有困难的,可以口头申请,由劳动争议仲裁委员会记入笔录,并告知对方当事人。"有的委员提出,劳动争议仲裁涉及争议双方当事人的切身利益,当事人应当提供书面的仲裁申请,从而避免因此而产生新的争议，建议删去这一款。

草案二次审议稿第三十七条第一款规定："仲裁庭对专门性问题认为需要鉴定的，可以交由当事人约定的鉴定机构鉴定；当事人没有约定或者无法达成约定的，由仲裁庭指定的鉴定机构鉴定。"有的委员建议明确界定什么是"专门性问题"。还有意见提出，有的鉴定是法律、法规明确的，不需要约定，如劳动能力的鉴定。建议将这一款修改为："仲裁庭对专门性问题需要鉴定的，除法律法规规定外，再交由当事人约定。"

八、关于一裁终局

草案二次审议稿第四十七条规定了仲裁裁决为终局裁决的三种劳动争议仲裁案件。有些委员和代表提出，劳动争议案件采取强制仲裁，部分案件一裁终局的规定，有利于缩短劳动争议处理周期，降低成本，具有一定的积极作用。但这种规定限制了当事人行使诉讼权，使处于弱势一方的劳动者缺失了最终的司法保障。因此，建议本法从保护劳动者合法权益的角度，对一裁终局的案件，为劳动者保留司法救济的途径。

第一项规定一裁终局的范围是："追索劳动报酬、工伤医疗费、经济补偿或者法定赔偿金，不超过当地月最低工资标准十二个月金额的争议。"有的委员认为"不超过当地月最低工资标准十二个月"的金额太低，建议修改为"十八个月"。有的委员认为标的额太高，建议修改为"六个月"。有的代表建议明确"不超过当地月最低工资标准十二个月金额"是指单项还是几项合计的金额。

第二项规定一裁终局的范围是："因执行国家的劳动标准在

工作时间、休息休假、社会保险等方面发生的争议。”有的委员建议删去第二项中“社会保险”的内容。

有的委员建议在本条建立仲裁复核制度,规定不服一裁终局裁决的,可以申请复核,复核需另行组织仲裁庭和仲裁员进行。

九、关于经费保障

有的委员建议规定劳动争议调解不收费,并明确劳动争议调解组织的经费来源。

有的代表建议增加规定:“在劳动争议仲裁中,包括最后进入诉讼的案件,败诉的用人单位应该承担劳动者为了获取补偿所花费的费用。”

十、其他

1. 有些委员建议在本法中增加有关法律责任的内容。

2. 有的委员建议将本法名称修改为“劳动争议处理法”。

十届全国人大常委会第二十九次会议分组审议劳动争议调解仲裁法（草案）的意见

2007年8月30日上午，十届全国人大常委会第二十九次会议分组对劳动争议调解仲裁法（草案）进行了审议。大家普遍认为，过去的劳动争议处理体制，存在着周期长、效率低、成本高等问题，亟待规范。针对市场经济条件下我国劳动关系的新特点和新情况，制定一部劳动争议处理方面的法律是非常必要的，对于构建和发展和谐稳定的劳动关系具有非常重要的现实意义。有的委员认为，草案从框架、结构到条文的书写都很规范，是提交常委会讨论的法律草案中，质量比较高的一部。有的委员认为，这部法律与劳动法、劳动合同法、就业促进法共同构成了解决就业问题、规范劳动关系的基本法律保障体系。是这一届人大常委会在推进社会立法、健全劳动法制方面的一个很大的贡献。同时，常委会组成人员还提出了一些修改意见，现简报如下：

一、关于总则

草案第六条规定："发生劳动争议，当事人对自己提出的主张，有责任提供证明材料。当事人双方对争议事项有不同理解的，用人单位应当提供由其掌握和管理的与争议事项有关的证明材料；用人单位不能提供的，采用有利于劳动者的理解。”有的委员认为，法律应当平等保护劳动争议双方当事人的合法权益，在这里设置举证责任倒置原则是不合理的，建议删去“用人单位不能提供的，采用有利于劳动者的理解”，并将第一句中的“证明材料”改为“证据”。

草案第七条规定：“发生劳动争议的劳动者一方在十人以上，并有共同诉求的，可以推举代表参加调解、仲裁或者诉讼活动。”有些委员和代表提出，如果没有名额的限制，推举的代表就没有实际意义，建议对代表名额的数量作出规定。

二、关于适用范围

草案第二条规定了本法的适用范围，其中第三项规定：“因除名、辞退和辞职、离职发生的争议”。有的委员提出，目前劳动者与用人单位之间的劳动关系由劳动合同来调整，符合解除或终止劳动合同的条件时，劳动关系即可解除，不存在“除名”、“辞退”的说法。此外第三项的内容已经包含在第二项中，造成内容重复，建议删去。第五项规定：“法律、法规规定的其他劳动争议。”有的代表认为这一项的表述不准确、不科学。法律、法规不可能对“劳动争议”本身专门进行规定，建议不作限制，将所有的劳动争议都纳入本法调整。有的委员建议在第四项中增加“工作内容、工作条件”的内容。有的委员认为，本法的适用范围应当比劳动合同法的适用范围更加宽泛，建议再作斟酌。另外，因职业病引发的劳动争议急剧上升，本法应当强调一下职业危害方面的内容。

三、关于裁审体制

有些委员认为,解决劳动争议应当实行“或裁或审”的体制,由当事人自己选择处理劳动争议的方式。有些委员提出,第一,“一裁两审”的制度设计过于复杂,增加了处理劳动争议的程序和成本,人民法院与劳动仲裁机构互相脱节,造成各方面资源的浪费;第二,“一裁两审”的制度设计使维权成本过高。提起劳动争议仲裁的主体大多数是一般员工,其中相当一部分是农民工,无论是时间还是财力,他们都难以负担;第三,“一裁两审”的劳动争议处理渠道过于狭窄和漫长,不适应当前井喷式增长趋势的劳动争议案的发生;第四,“一裁两审、仲裁前置”的制度,违反了仲裁自愿的原则。有的委员提出,“或裁或审”的体制同样不能解决周期过长、成本较高等问题,不是目前最好的选择。

有些委员提出,劳动争议处理制度恢复二十年来,“一调一裁两审”的体制在调解劳资双方关系,保护劳动者权益方面发挥了较好的作用,但是也存在着周期过长、成本较高等问题。所以,本法应当对现有制度作一些修改和完善。

有些委员提出,“一调一裁两审”的制度导致劳动争议处理周期过长、成本过高,而“或裁或审”的制度又使法院压力过大,办案效率下降。本法对劳动争议处理的体制设计很好,既不是“一调一裁两审”的必经程序,也不是劳动者完全自由选择调解、仲裁、诉讼活动,而是进行分类处理,对部分案件实行“一裁终局”,这样的设计充分体现了立法智慧,比较赞同。

四、关于劳动调解

草案第十条第二款规定："企业劳动调解委员会由职工代表和企业代表组成。职工代表由工会成员担任或者由全体职工推举产生；企业代表由企业负责人指定。企业劳动调解委员会主任由双方推举产生。"有些委员提出，工会代表作为劳动争议调解委员会中的一方，来组织、主持企业劳动争议调解工作，是由我国工会的性质和特点所决定的。本款规定否定了企业工会在企业劳动争议调解中的地位和作用，改变了现有做法。根据本款规定，企业劳动调解委员会仅仅由职工代表和企业代表组成，在劳动者处于弱势的情况下，很难保证企业劳动调解委员会能够公平、公正地处理劳动争议。建议草案恢复原来的企业调解制度，将第十条第二款修改为"企业劳动调解委员会由职工代表、企业代表和企业工会代表组成。职工代表由职工大会或者职工代表大会推举产生，企业代表由企业负责人指定，企业工会代表由企业工会委员会指定。企业劳动调解委员会主任由企业工会代表担任，没有成立工会组织的企业，调解委员会的设立及其组成由职工代表或企业代表协商决定。"有些委员和代表提出，调解委员会虽然有职工代表参加，但是如果职工代表的比例太低而与企业代表比例失衡的话，则无法保证调解的公正性，建议明确规定职工代表的最低比例。

有的委员提出，我们应该肯定长期以来工会在企业调解中发挥的作用，但同时也应该看到，我们现在正处在经济体制的过渡阶段。一方面，要继续发挥和保留工会的调解作用；另一方面，要积极扶持地区性的社区调解机构，尤其是街道、社区在维护劳动者权益方面的机构，使其逐步过渡到比较规范的仲裁机构上来。有些委员提出，本法应对近年来作用发挥较好、成效明显的区域性、行业性劳动争议调解组织作出规定，建议在第十条后面增加一条："在小型非公有制企业和外商投资企业比较集中的乡镇、街道、开发区或社区，可以建立区域性、行业性劳动争议调解组织。区域性、行业性劳动争议调解组织开展劳动争议预防、预警和调解工作，对基层劳动争议调解工作进行帮助和指导。"

草案第十一条规定："发生劳动争议，当事人可以到下列调解组织申请劳动调解：（一）企业调解委员会；（二）基层人民调解组织；（三）依法在乡镇、街道设立的劳动调解组织。"有些委员认为，给予当事人太多的选择，反倒会使问题变得复杂。另外，是否所有的调解都一定要当事人提出申请？劳动调解组织能否主动进行调解？建议再作研究。有些委员提出，本条的规定过于简单，应对调解组织的设置、人员构成、法定职责等作出详细规定。

五、关于支付令

草案第十五条第四款规定："人民法院收到用人单位提出的书面异议后，支付令自行失效，劳动者可以依法申请仲裁。"有些委员提出，规定支付令的本意是要通过支付令的程序，快速解决劳动争议，但本款规定反倒使劳动争议处理程序更加复杂、周期更长、成本更高。建议修改为"支付令自行失效后，劳动者可以直接提起诉讼"。有的代表建议取消关于支付令的规定，修改为："用人单位在十五日之内拒不履行的，当事人可以依法申请仲裁。”

六、关于调解的效力

草案第十六条规定,双方当事人达成调解协议后,当事人可以反悔。一些委员和同志提出,在调解组织参与下达成的调解协议,具有民事合同性质,不能随意反悔。当事人反悔或不履行调解协议,应有正当理由,如提出证据证明调解违反自愿原则,或者调解协议的内容违反法律等。建议对解除调解协议设定约束性条件,从而强化双方当事人的履约意识,维护调解协议的严肃性,加强劳动调解的法律效力。杨伟程代表建议在草案第十四条中增加一款:“当事人在劳动争议调解组织的主持下,达成的具有劳动权利义务内容的调解协议书,具有劳动合同的效力。”

七、关于劳动仲裁

草案第十八条第二款规定了仲裁员的条件,其中第一项规定:“从事律师工作满五年的”,第二项规定:“曾任审判员满五年的”。有的委员提出,这样的表述不够准确,建议分别修改为“律师执业满五年的”、“审判员从事审判工作满五年的”。有的委员提出,第二项对仲裁员的要求过高,只要担任过审判员,就应该具有仲裁员的条件。有的委员提出,仲裁工作具有司法工作的特点,专业水平要求较高,本条规定的几项标准,并不足以保证仲裁员队伍的素质,建议在草案中增加职业资格准入及标准方面的内容。

草案第二十三条第一款规定:“劳动争议申请仲裁的时效期

间为六个月。仲裁时效期间从当事人知道或者应当知道其权利被侵害之日起计算。”有的代表提出，在当前的就业形势下，一些劳动者为了得到工作，明知权利被侵害，仍然要与用人单位维持劳动关系，迫不得已才去主张权利，这时候往往已经过了六个月的仲裁时效期间。建议修改为“仲裁的时效期间从当事人提起申请仲裁之日起计算，但不得超出当事人权利被侵害之日起十年”，这样更有利于劳动者权益的保护。第三款规定，因不可抗力或者有其他正当理由，当事人不能依照本条第一款规定申请仲裁的，时效中止。有的委员提出，“其他正当理由”太宽泛，容易引起争议，建议删除或予以明确。

草案第二十四条规定，当事人申请仲裁应当提交书面仲裁申请书。有的代表建议增加“劳动者可以口头申请仲裁”的规定。

草案第二十八条规定：“当事人应当在收到仲裁员名册后五日内约定仲裁庭的组成方式或者选定仲裁员；未在上述期限内约定仲裁庭的组成方式或者选定仲裁员的，由劳动仲裁委员会主任指定。”有些委员提出，本条中的“当事人”是指提出申请的当事人还是双方当事人应当明确。如果是指双方当事人，在双方选定的仲裁员不一致的情况下应当怎么办？建议作出明确规定。

草案第三十条规定，仲裁员有下列情形之一的，必须回避，当事人也有权提出回避申请。其中第四项规定：“私自会见当事人、代理人，或者接受当事人、代理人的请客送礼的。”有些委员认为“请客送礼”的涵盖面太窄，建议修改为“或者与当事人或代理人私下有不正当交易的”。

草案第四十条第一款规定:“仲裁庭裁决劳动争议案件,应当自组成仲裁庭之日起三十日内结束。案情复杂需要延期的,经劳动仲裁委员会主任批准,可以延期,但是延长期限不得超过十五日。逾期未作出仲裁裁决的,当事人可以向人民法院提起诉讼。”有的委员提出,这样规定还是没有达到简化程序、缩短周期的目的。建议区分不同情况对仲裁进行时间限制,对于案情简单的,应当快速审理。

八、关于一裁终局

草案第四十四条规定了仲裁裁决为终局裁决的三种劳动争议仲裁案件。有的委员提出,劳动争议案件采取强制仲裁,部分案件一裁终局的规定,有利于缩短劳动争议处理周期,降低成本,具有一定的积极作用。但这种规定限制了当事人行使诉讼权,使处于弱势一方的劳动者缺失了最终的司法保障。因此,建议本法从保护劳动者合法权益的角度,对一裁终局的案件,为劳动者保留司法救济的途径,并缩小一裁终局的案件范围,建议将本条修改为:“下列劳动争议仲裁案件,除劳动者不服可以向人民法院提起诉讼外,裁决书自作出之日起发生法律效力:(一)劳动报酬、工伤医疗费、经济补偿、养老金或者赔偿金,不超过当地最低工资标准的六个月金额的争议;(二)因履行集体合同发生的争议。”有的委员提出,第一项中的“工伤医疗费、经济补偿、赔偿金”涉及民事方面的侵权行为,与劳动者有着密切的利害关系,把这些内容纳入一裁终局的范围,不利于对劳动者权益的保护,建议再作斟酌。有的代表建议扩大一裁终局的案件范围,提高一裁终局案件标的额,将第一项改为“劳动报酬、工伤医疗费、经济补偿、养老金或者赔偿金,不超过当地月社会平均工资标准十二个月金额的争议。”有的委员建议在第二项中增加“生产安全”的内容。

草案第四十五条第一款规定,当事人在一定情形下,可以自收到裁决书之日起三十日内向人民法院申请撤销裁决。有的委员提出,“三十日”的时限太短,建议延长为“六十日”。

草案第四十五条第四款规定,仲裁裁决被人民法院裁定撤销的,当事人可以向人民法院提起诉讼。有的代表建议本条应当明确规定在人民法院撤销裁决之前,原仲裁裁决是否要停止执行。

有的委员认为,第四十四条、第四十五条关于一裁终局的规定使仲裁裁决直接发生法律效力,赋予了劳动仲裁委员司法审判权,不太合适,建议删去。

九、关于诉讼

有些委员提出,根据我国现行的劳动争议处理体制,劳动争议案件按照民事诉讼的程序来处理,实行二审终审制,导致劳动争议诉讼周期过长。很多国家针对劳动争议案件的特殊性,对劳动争议诉讼程序作了特别的规定,一些国家还成立了专门审理劳动争议案件的劳动法院、劳动法庭。建议本法针对劳动争议案件的特殊性制定劳动争议诉讼的特别规定,成立劳动法庭,简化诉讼程序,缩短诉讼周期,降低劳动者的维权成本。

十、关于经费保障

有些委员和代表建议在附则中明确劳动调解和劳动仲裁的

收费原则和控制标准,或者明确由国务院另行制定具体的收费办法等,以保障本法的贯彻实施。有的代表建议在第五十条中增加一款:"劳动争议仲裁机构的办案经费和日常经费,应列入政府财政预算予以保障。"

十一、其他

1. 有的代表提出,应当统一本法中的名称,将"企业"修改为"用人单位",将"劳动调解委员会"修改为"劳动争议调解委员会",将"劳动仲裁委员会"修改为"劳动争议仲裁委员会"。

2. 有的委员建议将草案第四十一条第二款中"仲裁庭裁定先予执行的",改为"仲裁庭裁决先予执行的"。

3. 有的代表提出,第四十五条第一款第三项中的"伪造"范围太窄,建议修改为"虚假"。

4. 有些委员建议增加法律责任一章。

各地和中央有关部门对劳动争议调解仲裁法草案（征求意见稿）的意见

2007 年 4 月，全国人大常委会法制工作委员会将劳动争议调解仲裁法草案（征求意见稿）印发中央有关部门以及各省、自治区、直辖市、各较大市和经济特区的人大常委会征求意见。现将各地和中央有关部门提出的主要修改意见和建议简报如下：

一、关于本法的整体框架

一些地方和部门提出，我国现行的劳动争议处理制度包括协商、调解、仲裁和诉讼等基本环节，解决劳动争议需要制定一部全面规范劳动争议协商、调解、仲裁、诉讼活动的法律。征求意见稿仅对劳动争议处理的调解和仲裁程序进行规范，这不符合劳动争议处理工作的需要，建议制定一部完整的劳动争议争议法，对劳动争议协商、调解、仲裁、诉讼等各个程序作出规范。

有的地方提出，应当将人事仲裁一并纳入本法的调整范围，不再另行制定相关法律。人事部建议在劳动合同法调整范围包括事业单位的情况下，征求意见稿的名称和各相关条文均应加上“人事”二字。科技部建议本法制定过程中统筹考虑人事争议仲裁立法,确保劳动争议和人事争议仲裁制度的衔接。

有些地方提出,本法作为劳动争议处理的专项程序法,对于程序和操作性的规定需要进一步细化。

二、关于劳动争议调解仲裁的范围

征求意见稿第三条规定了本法调整的劳动争议的范围。有的地方建议明确哪些事项不属于劳动争议调解仲裁的范围,以便于操作。有的地方建议明确劳动者辞职或者解除劳动关系后,用人单位未为劳动者办理档案转移、失业保险等手续而产生的纠纷是否属于劳动调解仲裁的调整范围。有些地方建议征求意见稿明确因经济补偿金、赔偿金发生的争议也属于本法调整的劳动争议。

三、关于劳动争议处理的基本程序

征求意见稿第六条规定:“发生劳动争议,当事人不愿协商或者协商不成的,向劳动调解组织申请调解;调解不成的,申请仲裁。对仲裁裁决不服的,除本法另有规定的外,可以向人民法院提起诉讼。”

(一)关于调解前置

一些地方和部门提出,劳动调解是解决劳动争议的重要途径,但调解应当遵循自愿合法的原则,将申请调解作为仲裁的强制前置程序,违背了自愿原则,增加了劳动争议解决的环节和成本,不利于及时解决劳动争议,调解前置的必要性需要作进一步研究。建议征求意见稿将调解作为劳动争议处理的选择性程序而不是必经程序。

一些地方和部门提出，征求意见稿第二十六条第三款又规定了“申请仲裁的当事人未持有劳动调解组织出具的调解不成文书的，劳动仲裁委员会应当先行调解”的内容，这是否意味着当事人可以绕开劳动调解组织的调解程序，与第六条的规定又相矛盾，建议斟酌修改。

（二）关于或裁或审体制

一些地方和部门提出，征求意见稿继续维持仲裁为诉讼的必经程序的制度，难以从根本上解决劳动争议处理周期长、成本高、效率低的问题。对于劳动争议案件采取强制仲裁而多数案件一裁终局的做法不太妥当，是对当事人诉权的限制。建议根据现实需要改革劳动争议处理程序，在强化基层调解的基础上，建立“或裁或审”的制度，赋予当事人选择仲裁、或选择诉讼的权利。

有的地方提出，目前的“一调一裁两审”的处理模式，已经经过二十多年的实践，证明比较成熟的，为绝大多数职工所接受，不宜轻易否定。劳动争议仲裁表面是处理劳资纠纷，实质上更主要体现为政府主动、妥善处理劳资纠纷的责任，避免引发社会不稳定。劳动争议仲裁应定性为“行政裁决”，不宜简单照搬“民商仲裁”的处理程序。

（三）其他

1. 有的地方提出，根据征求意见稿的规定，已达成调解协议而不履行的，还要先经过劳动仲裁这一程序，这不利于纠纷的尽快解决。劳动调解协议确实需要变更、撤销或者确认无效的，由人民法院来把关已经足够了，没有必要先经过仲裁程序。建议征求意见稿与民事诉讼法和《最高人民法院关于审理涉及人民调解协议的民事案件的若干规定》中关于调解制度的有关规定相衔接,增加规定“一方当事人在三十日内不履行劳动调解协议的,另一方当事人可以向人民法院提出诉讼,请求对方当事人履行调解协议。”

2. 有的地方提出,从目前的实践情况看,调解和仲裁程序可以调停处理相当一部分劳动争议案件,其作用相当于诉讼中的一审,为缩短劳动争议处理周期,可以由中级人民法院对仲裁结果实行一审终审。因此建议征求意见稿实行“一调一裁一审”的劳动争议处理体制。

3. 有些地方提出,劳动争议诉讼的增加是市场经济条件下的必然现象,对此应当改革法院体制,设置专门处理劳动争议的劳动法庭,以适应市场经济发展的需要,而不应采取在法院外再设置一套需要财政补贴并不能减少管理成本和维权成本的准司法的仲裁体制。建议征求意见稿从长远考虑劳动争议处理体制问题。

四、关于举证责任

征求意见稿第八条规定:“在解决劳动争议过程中,当事人对争议事项有不同理解,用人单位不能提供有关证明材料的,采用有利于劳动者的理解。”有的部门提出,在程序法中对弱势一方当事人的倾斜保护仅限于有限的几种情况,如费用减免、专业代理人的利用、举证责任倒置、格式文本理解等,任意扩大倾斜保护的范围将影响到程序法的公正。

有的地方提出,鉴于劳动争议案件与一般的民事案件不同,有相当多的证据由用人单位制订、持有或者保管，因此规定对一些特殊劳动争议案件实行举证责任倒置，以从程序上对劳动者实行倾斜保护是很有必要的。建议征求意见稿增加规定："因用人单位作出开除、除名、（违纪）辞退、自动离职、解除或终止劳动合同（劳动关系）、减少劳动报酬、计算劳动者工作年限、变更工作岗位等决定而发生劳动争议的，由用人单位负举证责任。""劳动者无法掌握或者提供，经劳动者指明确系用人单位掌握和管理的与仲裁请求有关联的证据，仲裁委员会可以要求用人单位在指定期限内提供。用人单位在仲裁委员会指定期限内未提交指定证据的，由其承担举证不能的法律后果。"

五、关于集体合同争议的处理体制

征求意见稿第十条规定："因履行集体合同发生的争议，协商不成的，当事人可以向劳动仲裁委员会申请仲裁或者向人民法院提起诉讼。"一些地方提出，在同一部法律中同时适用"先裁后审"、"一裁终局"和"或裁或审"三种不同的处理模式，实无必要，也容易导致实践操作中的混乱局面，建议斟酌修改。有些地方提出，本条中的"当事人"的主体表述不明确，建议明确规定主体资格。

六、关于劳动调解

（一）关于企业劳动调解委员会。征求意见稿第十二条规定："企业可以设立劳动调解委员会，依法调解本企业发生的劳动争议。""企业劳动调解委员会由职工代表和企业代表组成。职工代表由工会成员担任或者由全体职工推举产生，企业代表由企业负责人指定。企业劳动调解委员会主任由双方推举产生。”一些地方和部门提出,征求意见稿对企业劳动争议调解制度作一些规定,值得肯定,但工会代表不能等同于职工代表,建议征求意见稿沿用企业劳动争议处理条例关于企业劳动争议调解委员会中工会代表地位的有关规定。有些地方提出,有效的调解必须依赖于独立的有公信力的第三方进行,企业内部只有劳资双方,工会不宜既充当协商者又充当调解者,作为职工一方的代表,工会应当担当起代表职工一方协商的职能。建议征求意见稿重新定位工会组织在劳动争议中扮演的角色。

(二)关于基层调解组织。征求意见稿未对基层人民调解组织和依法在乡镇、街道设立的区域性或者行业性劳动调解组织的法律地位、机构设置及组织构成进行明确规定,不利于劳动争议处理工作的开展。

(三)一些地方建议征求意见稿对劳动调解受理、程序、期限及调解协议的效力等问题作出更明确的规范,以增强可操作性。一些地方建议征求意见稿参照《最高人民法院关于审理劳动争议案件适用法律若干问题的解释(二)》的有关规定,赋予劳动调解协议具有劳动合同的约束力。有的部门提出,如果将调解作为劳动争议处理的必经程序,就有必要赋予调解书以法律效力,当事人不履行时,可以依法申请强制执行。

七、关于劳动仲裁的组织机构

征求意见稿第十九条规定:“省级人民政府根据需要在县、县级市、市辖区设立劳动仲裁委员会。”“劳动仲裁委员会由劳动行政部门代表、工会代表和企业方面代表组成,聘任仲裁员,依法仲裁劳动争议案件。”“劳动仲裁委员会下设办事机构，负责办理劳动仲裁委员会的日常工作。”

（一）关于劳动仲裁委员会的设置

一些地方和部门提出，我国劳动争议案件数量大量增加，处理难度不断增大，而县级的基层仲裁员素质参差不齐，无法及时有效地处理劳动争议案件。从目前的情况看，劳动争议案件主要发生在区域经济中心的城市地区，劳动仲裁的办案骨干集中在省、地（市）两级，并且，省、地（市）两级还承担着地方劳动争议处理的主要管理、监督和业务培训职能，是劳动争议处理工作体系的重要支撑。征求意见稿设计撤销了省级和地（市）级劳动仲裁机构，不符合当前的案件状况和劳动争议处理工作的实际，建议征求意见稿对这一问题作进一步的研究修改。

有些地方提出，按照征求意见稿的规定，仅在县级设立劳动仲裁委员会，其管理和监督工作是由省级人民政府直接负责还是由同级或上级劳动行政部门负责不明确，建议征求意见稿明确规定通过何种方式对劳动争议仲裁委员会及其办事机构进行监督。

有些地方和部门提出，根据本条和征求意见稿第二十二条第一款“县、县级市、市辖区的劳动仲裁委员会负责本行政区域内发生的劳动争议”的规定，一旦某一个县区未设立劳动仲裁委员会，则该地区发生的劳动争议将没有仲裁管辖，无法进行劳动仲裁，从而造成争议当事人诉求无门。建议征求意见稿对这一问题作进一步研究修改。

有些地方建议删除征求意见稿本条中“劳动仲裁委员会下设办事机构，负责办理劳动仲裁委员会日常工作”的表述。

（二）关于仲裁机构实体化

一些地方和部门提出，实践中，劳动争议仲裁委员会的办事机构设在劳动行政部门，仲裁员少数由劳动行政部门工作人员担任，多数为外部聘任的兼职人员担任，不能适应劳动争议案件不断上升的严峻形势。劳动争议仲裁机构实体化，劳动仲裁人员专业化是这些年为解决大量上升的劳动争议案件探索的成功路子，是改革现行劳动争议仲裁体制的重大成果，有利于提高办案效率，提高劳动争议处理能力，也有利于提高仲裁公信力。建议征求意见稿对劳动争议机构实体化、仲裁员专业化的改革加以肯定。

有的地方提出，职业化的仲裁员队伍可以主要由政府、工会和企业组织向仲裁委员会派出，被派出的职业仲裁员可以实行任期制，也可以终身派驻，保证其专业性和独立性。

一些地方建议征求意见稿明确劳动仲裁委员会的主任由劳动行政部门代表担任。

八、关于支付令

征求意见稿第十七条规定：“因支付拖欠劳动报酬、工伤医疗费或者经济补偿金事项达成调解协议，用人单位在十五日内拒不履行的，当事人可以持调解协议书依法向人民法院申请支付令。人民法院应当依法发出支付令。”

有些地方和部门提出，按照民事诉讼法的规定，一方当事人提出书面异议后，支付令自行失效，申请支付令的当事人可以起诉。然而按照征求意见稿的设计，调解不成后似应进入劳动仲裁程序。支付令失效后究竟应进入哪类程序，建议草案予以明确。有些地方提出，支付令会因债务人的书面异议而自行失效，使调解协议书无实际的效力作用，劳动争议调解程序失去现实意义，建议征求意见稿予以调解协议一定的执行力。

九、关于仲裁管辖

一些地方和部门提出，征求意见稿第二十二条对劳动仲裁委员会的管辖问题作了规定，但没有规定相关的立案管辖、移送管辖及管辖权发生争议时的解决途径，建议对上述问题作出明确界定。

十、关于仲裁员违法的法律责任

征求意见稿第三十四条规定了仲裁员违反本法的法律后果。一些地方建议征求意见稿对仲裁员的违法行为及其应承担的法律责任作出明确规定。

十一、未经全体仲裁员签名的裁决书的效力

征求意见稿第四十六条规定了对仲裁裁决持不同意见的仲裁员，可以不签名。有的地方提出，未经全体仲裁员签名的裁决书是否有效，应当进一步研究。

十二、关于一裁终局

征求意见稿第四十七条按照仲裁与诉讼案件分流的原则，将小额争议和劳动标准争议设定为一裁终局。有的地方建议征求意见稿再作进一步深化规定，区分人民法院与劳动仲裁委员会在劳动争议案件处理中的职能，将诉讼制度定位于对劳动仲裁的监督程序，即人民法院只对经劳动仲裁委员会裁决的案件进行法律上形式审，从而避免重复审理，克服目前处理体制存在的弊端。有的部门建议进一步明确集体劳动合同争议案件符合征求意见稿第四十七条的规定，也应当适用一裁终局的规定。

有的地方提出，劳动仲裁并非普通的商事仲裁，属于强制性仲裁，具有行政行为调整私权的性质。劳动争议案件关系到每个百姓的切身生活，如果把这些大量的涉及切身利益的争议排除到司法救济之外，显然不符合法治社会的理念。建议对于劳动争议金额较小或者事实清楚案情简单的劳动争议案件，实行劳动仲裁机构裁定实体、人民法院审定形式一审终审的处理模式。

十三、关于仲裁裁决的撤销

有些地方提出，征求意见稿第四十八条对仲裁裁决的撤销作了规定，但对人民法院撤销裁决后的案件是由人民法院继续审理还是退回仲裁委员会重新审理，应当予以明确；另外，应当赋予仲裁委员会对自身不正确裁决的监督权利，对确有错误的裁决，仲裁委员会可以自行撤销。

十四、关于劳动调解和劳动仲裁费用

征求意见稿第五十二条规定："劳动调解和劳动仲裁免费。"一些地方和部门提出，为了维护弱势群体合法权益，劳动争议处理实行免费规定是必要的；但实行免费后，劳动争议调解仲裁机构的办案和日常经费应当由财政予以保障，建议征求意见稿增加规定劳动调解和仲裁工作经费由财政保障。

十五、其他

1.一些地方和部门建议征求意见稿中增加签订集体合同争议处理程序、仲裁简易程序、仲裁阶段财产保全、举证责任倒置等相关规定。

2.有的部门提出,征求意见稿没有规定劳动仲裁调解书的生效时间,且该调解书是否可以撤销或者当事人不服时向人民法院起诉等问题也不明确,建议对上述问题予以明确规定。

3.一些地方和部门提出,征求意见稿使用的"劳动调解"、"劳动仲裁"与现行的法律法规不一致,建议继续使用"劳动争议调解"和"劳动争议仲裁"的完整概念。

中央有关部门、单位和地方人大对劳动争议调解仲裁法(草案)的意见

十届全国人大常委会第二十九次会议对劳动争议调解仲裁法(草案)进行了初步审议。会后,全国人大常委会法制工作委员会将草案印发中央有关部门、单位和地方各省、自治区、直辖市、各较大市的人大常委会征求意见。中央和地方普遍认为,草案在总结劳动争议处理实践经验的基础上,针对劳动争议处理中出现的新情况、新问题,强化了调解制度,完善了劳动仲裁制度,加大了司法救济的力度,与劳动法、劳动合同法相配套,形成了完整的劳动法律保障体系,对于更高效、更公平地解决劳动争议,构建和发展和谐稳定的劳动关系发挥了积极作用。

一、关于总则

草案第一条规定:"为了公正及时处理劳动争议,促进劳动关系和谐稳定,保护当事人合法权益,制定本法。"有的地方提出,为了体现草案的社会法特性,建议将本条的立法目的修改为"保护劳动者合法权益"。

草案第六条规定："发生劳动争议，当事人对自己提出的主张，有责任提供证明材料。当事人双方对争议事项有不同理解的，用人单位应当提供由其掌握和管理的与争议事项有关的证明材料；用人单位不能提供的，采用有利于劳动者的理解。"有些地方提出，本条规定应当与最高人民法院《关于审理劳动争议案件适用法律若干问题的解释》中的有关规定相衔接，建议增加规定："因用人单位作出开除、除名、辞退、解除劳动合同、减少劳动报酬、计算劳动者工作年限等决定而发生的劳动争议，由用人单位负举证责任"。一些单位和地方建议将"证明材料"修改为"证据"，以便与第二十四条中的"证据和证据来源"的表述相一致（全国工商联、国家电网公司、陕西省人大、湖南省人大、青海省人大）。有的单位提出，鉴于有些证据材料涉及国家机密，建议在本条"用人单位不能提供的"、第三十六条第二款"用人单位在指定期限内未提交指定证据的"之前增加"无正当理由"。有的地方建议赋予劳动仲裁委员会调查取证的权利，以充分保护当事人的合法权益。

草案第七条规定："发生劳动争议的劳动者一方在十人以上，并有共同诉求的，可以推举代表参加调解、仲裁或者诉讼活动。"一些部门和单位建议对代表名额的数量作出规定。有的地方建议在"十人以上"后增加"或者占本单位劳动者人数的三分之二"。有的地方建议将"诉求"修改为"请求"。

草案第九条规定："县级以上人民政府劳动行政部门会同工会和企业方面代表，建立健全协调劳动关系三方机制，共同研究解决劳动争议的重大问题。"有的部门提出，目前劳动关系的协调机制主要建立在地方，建议在"人民政府"前增加"地方"。

二、关于适用范围

草案第二条规定，中华人民共和国境内的用人单位与劳动者发生的劳动争议，适用本法。其中第二项规定“因订立、履行、变更、解除和终止劳动合同发生的争议”，有些地方和部门提出，这一项规定与第一项、第三项、第四项规定的内容存在交叉，建议完善表述。第三项规定“因除名、辞退和辞职、离职发生的争议”，有的地方提出，这一项的规定过于宽泛，容易导致劳动争议案件激增，建议加以限制。一些部门与地方建议在第四项中增加“经济补偿金、赔偿金、劳动条件、职业危害与防护、工伤医疗费、住房公积金”的内容。一些单位和地方提出，第四项中的“社会保险、福利”不完全属于劳动关系的范畴，不应纳入本法调整范围。

草案第四十九条第一款规定：“本法所称用人单位与劳动者，与劳动合同法规定的范围相同。”有的部门提出，鉴于劳动合同法已将不具备合法经营资格的用工主体的用工纳入了管理范围，建议在草案中明确规定：“本法同时适用于不具备合法经营资格的用工主体与劳动者之间发生的劳动争议。”

草案第四十九条第二款规定：“事业单位实行聘用制的工作人员与本单位发生劳动争议的，依照本法执行。法律、行政法规或者国务院另有规定的，依照其规定。”有些地方和部门建议将第一款删去，并将第二款修改为：“事业单位实行聘用制的工作人员与本单位发生的人事争议，依照法律、法规或者国务院有关规定执行。”第一，人事争议仲裁是人事制度改革的坚强保障和维护社会稳定的有力支撑，对人事争议仲裁专门立法势在必行；

第二，人事争议仲裁是与劳动争议仲裁并行的一种仲裁制度，与劳动争议仲裁有很大区别，不宜合并管理。有些地方和部门建议将这一款修改为："国家机关、事业单位、社会团体和与其建立劳动关系的劳动者发生劳动争议的，依照本法执行。法律、行政法规或者国务院另有规定的，依照其规定"，从而保持与劳动合同法的一致。

三、关于裁审体制

一些地方和单位提出，"一调一裁二审"的劳动争议解决机制过于繁琐，不能有效解决现行劳动争议处理环节多、周期长、效率低的问题，使劳动者维权成本过高，不利于保护劳动者的合法权益。

一些部门和单位认为，仲裁前置和部分案件一裁终局的制度剥夺了当事人的诉权，解决劳动争议应当实行"或裁或审"的体制，由当事人自己选择处理劳动争议的方式。

四、关于劳动调解

很多单位和地方提出，本法关于劳动调解的规定过于笼统，应当对调解机构的设置、调解员聘任、调解的程序、调解协议的效力等作出具体规定。

草案第十条第二款规定："企业劳动调解委员会由职工代表和企业代表组成。职工代表由工会成员担任或者由全体职工推举产生；企业代表由企业负责人指定。企业劳动调解委员会主任由双方推举产生。"有些地方提出，为了保证调解的公正性，应当明确职工代表在企业劳动调解委员会中的最低比例。国资委建议恢复原来的企业调解制度,将这一款修改为:“企业劳动调解委员会由职工代表、企业代表和企业工会代表组成。职工代表由职工代表大会(职工大会)推举产生,企业代表由企业负责人指定,企业工会代表由企业工会委员会指定。企业劳动调解委员会主任由企业工会代表担任或者由三方代表推举产生,办事机构应当设在企业工会委员会。”有的地方建议修改为:“企业劳动调解委员会主任由工会主席担任,没有成立工会的,由双方推举产生。”

有些地方和部门提出,本法应对近年来作用发挥较好、成效明显的区域性、行业性劳动争议调解组织作出规定,建议在第十条后面增加一条:“在小型非公有制企业和外商投资企业比较集中的乡镇、街道、开发区或社区,可以建立由工会、政府和企业代表组织等组成的区域性、行业性劳动争议调解组织,调解本区域本行业内重大疑难劳动争议、集体劳动争议,以及未建立劳动争议调解组织的用人单位内发生的劳动争议。”“区域性、行业性劳动争议调解组织的办事机构设在区域和行业工会。地方政府应当为调解组织开展工作提供必要的经费、办公场所和工作设备。”

草案第十一条规定:“发生劳动争议,当事人可以到下列调解组织申请劳动调解:(一)企业调解委员会;(二)基层人民调解组织;(三)依法在乡镇、街道设立的劳动调解组织。”有些地方和部门提出,根据中办发[2002]23号《中共中央办公厅 国务院办公厅关于转发〈最高人民法院、司法部关于进一步加强新时期人民调解工作的意见〉的通知》规定,“积极推动建立和完善乡镇、街道人民调解组织”。据此,目前在乡镇、街道设立的调解组织均属人民调解组织，且全国98%以上的乡镇、街道都设立了这类人民调解组织。建议将第二项、第三项删去，并增加一项“人民调解组织”。

草案第十四条第二款规定：“十五日内未达成调解协议的，视为调解不成。”有些地方和部门提出，有的劳动争议案件涉及人数较多，法律关系复杂，调查取证和调解需要较长时间，难以在十五日内完成，建议修改为“三十日”。

五、关于支付令

草案第十五条第一款规定：“因支付拖欠劳动报酬、工伤医疗费或者经济补偿事项达成调解协议，用人单位在十五日内拒不履行的，当事人可以持调解协议书依法向人民法院申请支付令。人民法院应当依法发出支付令。”有的部门提出，劳动合同法规定的赔偿金与劳动者的利益紧密相关，建议在本款增加“赔偿金”的内容。一些单位和地方建议明确“十五日”期限的开始时间，如修改为“用人单位自达成调解协议之日起十五日内拒不履行的”。

草案第十五条第二款规定：“用人单位应当自收到支付令之日起十五日内清偿拖欠的劳动报酬、工伤医疗费或者经济补偿，或者向人民法院提出书面异议。”有的单位提出，“提出书面异议”的规定不利于对劳动者的保护，建议删去。

有的部门提出，“执行”只适用于具有强制执行力的司法权，建议将草案第十五条第三款中的“执行支付令”修改为“履行支付令”。

草案第十五条第四款规定：“人民法院收到用人单位提出的书面异议后，支付令自行失效，劳动者可以依法申请仲裁。”有的地方提出，本条应当增加规定法院对书面异议的审查义务。有的部门提出，规定支付令的本意是要通过支付令的程序，快速解决劳动争议，但本款规定反倒使劳动争议处理程序更加复杂、周期更长、成本更高。建议修改为“支付令自行失效后，劳动者可以直接提起诉讼”。

有的地方提出，民事诉讼法对支付令的申请和发放已有明确规定，建议删去草案第十五条第二款、第三款、第四款的内容。

有的地方提出，第十五条的规定在实践中的意义不大，建议删去。

有的部门建议在第十五条中增加内容，规定当事人在申请支付令期间不得申请仲裁，避免法院和劳动仲裁委员会同时受理。

六、关于调解的效力

草案第十六条规定，达成调解协议后，当事人可以反悔。有些地方提出，在调解组织参与下达成的调解协议，不能随意反悔，建议删去这一条。有的地方提出，为了避免当事人随意反悔，造成资源浪费，建议加强劳动调解的法律效力，规定调解协议书经人民法院确认后，即可申请强制执行。有的部门建议增加内容：“调解协议具有劳动合同的约束力，应当作为仲裁组织裁决和人民法院裁判的根据。当事人应按照约定履行义务，不得擅自变更或解除调解协议。”

七、关于劳动仲裁

1. 劳动仲裁委员会的设立

草案第十七条规定了劳动仲裁委员会的设立。一些单位和地方提出，本条应当明确规定劳动仲裁委员会的性质、职责以及设立的程序、条件等。

草案第十七条第一款规定："省、自治区人民政府根据需要在县、市设立劳动仲裁委员会，直辖市人民政府根据需要在区、县设立劳动仲裁委员会。劳动仲裁委员会不按行政区划层层设立。"一些地方提出，目前全国省（自治区、直辖市）一级普遍设立了劳动争议仲裁委员会，并在处理重大劳动争议案件，指导、监督、管理基层劳动争议仲裁委员会方面发挥了积极有效的作用。建议设立劳动仲裁委员会要具有一定的灵活性，应当允许地方根据实际需要在省、市辖区以及企业比较集中的区域设立。

草案第十七条第三款规定："劳动仲裁委员会聘任仲裁员，依法仲裁劳动争议案件。"一些地方提出，为了更好地发挥现有劳动仲裁员的作用，建议将这一款修改为："劳动仲裁委员会应当主要聘任专职劳动仲裁员，根据需要也可以聘任兼职劳动仲裁员。"

草案第十七条第四款规定："劳动仲裁委员会下设办事机构，负责办理劳动仲裁委员会的日常工作。"有的部门提出，根据《中共中央办公厅 国务院办公厅关于进一步加强和完善机构编制管理严格控制机构编制的通知》（厅字［2007］2 号）规定，"除专项机构编制法律法规外，各地区各部门拟定法规或法律草案不得就机构编制事项作出具体规定"，"确需增加和调整机构编制的，必须按规定权限和程序由机构编制部门专项办理"，建议删去第四款。有些地方建议增加规定"劳动仲裁委员会主任由劳动行政部门代表担任，劳动仲裁委员会下设的专门办事机构设立在劳动行政部门"。

2. 仲裁员的条件

草案第十八条第二款规定了仲裁员的条件,其中第四项规定“具有法律知识的从事劳动、工会等专业工作满三年的”。有些地方和部门提出,“具有法律知识”的标准过于模糊,不足以保证仲裁员队伍的素质,建议修改。有的部门提出,仲裁工作具有司法工作的特点,专业水平要求较高,本条规定的几项标准,并不足以保证仲裁员队伍的素质,建议借鉴仲裁法的规定作相应修改。有的地方建议增设身份排除条款,如受过刑事处罚的不得担任仲裁员等。

3. 草案第十九条第一款规定:“劳动仲裁委员会负责本行政区域内发生的劳动争议。”有的地方提出,这一款规定与第十七条规定的“劳动仲裁委员会不按行政区划层层设立”相互矛盾,建议将这一款修改为:“劳动仲裁委员会负责其所管辖范围内发生的劳动争议。”

4. 共同当事人

草案第二十一条第二款规定:“劳务派遣单位和用工单位与劳动者发生争议的,劳务派遣单位和用工单位为共同当事人。”有些部门提出,笼统地将劳务派遣单位与用工单位列为共同当事人不太妥当,忽略了个案的特殊性,也不符合诉讼和仲裁活动中对适格当事人的规定,建议区分争议的具体情况来确定与劳动者相对的当事人。有的部门提出,根据劳动合同法的规定,本款应增加三类共同当事人:用人单位招用与其他用人单位尚未解除或者终止劳动合同的劳动者,给其他用人单位造成损失的,用人单位与劳动者为共同当事人;个人承包经营者违法招用劳动者造成损害的,发包组织与个人承包经营者为共同当事人;对不具备合法经营资格的用人单位的违法犯罪行为，给劳动者造成损害的，该单位与其出资人为共同当事人。

5. 草案第二十五条规定了对劳动争议仲裁申请的受理。有些地方认为应当明确受理仲裁申请的具体条件和时限，并对劳动仲裁委员会受理仲裁申请的情况进行监督。

6. 仲裁庭的组成

草案第二十七条规定，简单劳动争议案件可以由一名仲裁员独任仲裁。有些部门和单位建议增加有关简单劳动争议案件的判断标准和适用的仲裁程序的规定。有些地方建议修改为："劳动关系明确、事实清楚的简单劳动争议案件可以由一名仲裁员独任仲裁。"

草案第二十八条规定："当事人应当在收到仲裁员名册后五日内约定仲裁庭的组成方式或者选定仲裁员；未在上述期限内约定仲裁庭的组成方式或者选定仲裁员的，由劳动仲裁委员会主任指定。"一些地方提出，仲裁庭的组成方式应当根据案件性质、影响力大小、争议标的等情况，依法明确规定，不应由当事人选择。

草案第三十条规定，仲裁员在一定情形下，必须回避，当事人也有权提出回避申请。一些单位和地方建议增加内容，规定当事人提出回避申请后，劳动仲裁委员会的处理程序。

7. 开庭和裁决

草案第四十条规定了仲裁庭裁决劳动争议案件的时限，有的单位提出，草案第四十四条规定的一裁终局的案件不应适用本条的规定，建议增加"本法第四十四条规定的劳动争议案件除外"的规定。

草案第四十一条第一款规定："仲裁庭对追索劳动报酬、工伤医疗费或者经济补偿的案件，根据当事人的申请，可以裁决先予执行，移送人民法院执行。"有的部门提出，劳动合同法规定的赔偿金与劳动者的利益紧密相关，建议在本款增加"赔偿金"的内容。

草案第四十一条第三款规定："劳动者申请先予执行的，可以减免担保。"有的地方建议修改为"劳动者申请先予执行的，应当免除担保。"

有的单位建议增加劳动仲裁证据规则、法律文书送达方面的规定。

八、关于一裁终局

草案第四十四条规定了仲裁裁决为终局裁决的三种劳动争议仲裁案件。

第一项规定："劳动报酬、工伤医疗费、经济补偿、养老金或者赔偿金，不超过当地月最低工资标准十二个月金额的争议。"有的地方提出，"工伤医疗费、经济补偿、赔偿金"涉及民事方面的侵权行为，与劳动者有着密切的利害关系，把这些内容纳入一裁终局的范围，不利于对劳动者权益的保护，建议删去。有的单位认为不超过当地月最低工资标准十二个月的金额太低，建议提高一裁终局案件的标的额。有的部门认为标的额太高，建议修改为"六个月"。有的单位建议明确"不超过当地月最低工资标准十二个月金额"是指单项还是几项合计的金额。

第二项规定："因执行国家的劳动标准在工作时间、休息休假、社会保险等方面发生的争议。"有的部门认为，一裁终局案件的范围不宜过宽，建议删去这一项。有些地方和单位提出，社会保险影响重大，属于国家法律、法规强制性规定，不应纳入一裁终局的范围，建议删去这一项中“社会保险”的内容。

第三项规定：“因履行集体合同发生的争议。”有的地方提出，集体合同涉案标的金额高，涉及面广，影响范围大，由人民法院作出终局裁定（判决）较为妥当。有些地方和单位提出，这一项规定与草案第八条“因履行集体合同发生的争议，协商不成的，当事人可以向劳动仲裁委员会申请仲裁或者向人民法院提起诉讼”的规定相矛盾，建议作相应修改。

一些单位和地方建议增加一项“因确认劳动关系发生的争议”。

草案第四十五条第一款规定，当事人在一定情形下，可以自收到裁决书之日起三十日内向人民法院申请撤销裁决。有的部门提出，“三十日”的时限太短，建议延长为“六个月”。有的单位建议增加规定人民法院作出撤销裁定的期限。

草案第四十六条规定，当事人对本法第四十四条规定以外的其他劳动争议案件的仲裁裁决不服的，可以自收到仲裁裁决书之日起十五日内向人民法院提起诉讼。有些地方和部门提出，本条规定没有明确人民法院的层级管辖，建议修改为“向劳动争议仲裁委员会所在地的基层人民法院提起诉讼”。

草案第四十七条第二款规定，依本法第四十四条作出的已经生效的仲裁裁决，被申请人提出证据证明裁决有民事诉讼法第二百一十七条第二款规定的情形之一的，经人民法院组成合议庭审查核实，裁定不予执行。有些地方和单位提出，这一款规定与民事诉讼法第二百一十七条第二款的规定无法衔接，建议作相应修改。

九、关于诉讼

有的地方提出，目前劳动争议案件由法院的民事庭来审理，但劳动争议涉及法律关系比较复杂，与传统的民事纠纷差异很大。很多国家针对劳动争议案件的特殊性，对劳动争议诉讼程序作了特别的规定，一些国家还成立了专门审理劳动争议案件的劳动法院、劳动法庭。建议本法针对劳动争议案件的特殊性制定劳动争议诉讼的特别规定，成立劳动法庭，简化诉讼程序，缩短诉讼周期，降低劳动者的维权成本。

十、关于经费保障

一些部门和单位提出，明确规定劳动调解和劳动仲裁免费，有利于对劳动调解组织和劳动仲裁委员会收费的管理，也有利于保护当事人的权益。建议恢复草案征求意见稿中"劳动调解和劳动仲裁免费"的内容。

一些单位和地方提出，草案对仲裁的费用未作规定，建议增加相关内容。

草案第五十条规定："仲裁员参加仲裁活动，劳动仲裁委员会给予交通、就餐等费用补助。"有的部门提出，这一条的内容过于具体和琐碎，建议不在法律中规定。有些地方建议在第五十条中增加一款："劳动争议仲裁机构的办案经费和日常经费，应列入政府财政预算予以保障。"

十一、其他

1. 有的地方建议将草案第二十五条、第二十六条、第二十九条中的“五日”修改为“五个工作日”。

2. 有的地方建议将第三十三条中的“鉴定部门”修改为“鉴定机构”。

3. 一些地方建议将第三十五条中的“辩论和质证”修改为“质证和辩论”。

4. 一些地方和部门建议将草案中的“劳动调解”和“劳动仲裁”统一为“劳动争议调解”和“劳动争议仲裁”。

5. 一些单位和地方建议在草案中增加财产保全方面的内容。

6. 有的地方建议增设一章“涉外劳动争议案件的处理”。

有关部门和专家对劳动关系争议处理立法的意见

2005 年 10 月 20 日、21 日上午，法制工作委员会在北京召开劳动关系争议处理立法座谈会，邀请国务院有关部门和专家，就劳动关系争议处理立法的主要问题进行讨论。现将提出的有关意见简报如下：

一、劳动关系争议处理法的调整范围

（一）关于劳动关系的范围

1. 多数部门和专家提出，随着市场经济的发展，劳动关系领域出现了许多新形式，突破了劳动法关于劳动关系的规定，例如劳务派遣、包工模式下的建筑工人、非全日制零工、家政服务人员等。与此同时，劳动争议也大量增加。北京市 2004 年仲裁案件 1.8 万件，而今年上半年就达到 1.6 万件。目前劳动力市场供大于求，各种不规范用工的情况大量存在，要加强对各类劳动者的保护，也应适当扩大对劳动关系范围的认定。这些用工情况都符合劳动关系本质上的要求，可以作为一种特殊的劳动关系，纳入劳动关系争议处理法的调整范围。

2. 有的专家提出，劳动法对涉外劳动关系未作规定，现在一些外企借此规避我国劳动法上的义务，建议尽快将涉外劳动争议纳入到劳动关系争议处理法的调整范围。

3. 有的同志提出，劳动关系争议处理法的调整范围应该与劳动合同法相衔接，同时加强对一些特殊劳动关系的调整。

（二）人事争议能否纳入本法的调整范围

1. 多数部门和专家提出，应当制定一部包括人事争议在内的、统一的劳动关系争议处理法。首先，人事关系和劳动关系的区别不大，长期以来由于管理体制的原因人为地将二者割裂开。目前我国从计划经济体制转变为市场经济体制，原先事业单位是单纯的行政管理，企业化和市场化改革之后，在人事管理上大多实行聘用制。聘用制下的事业单位人员所签的聘用合同实际上就是劳动合同，发生争议可以由劳动关系争议处理法调整。其次，从法律适用上，我国调整人事关系和劳动关系仅在实体法上有区别，而在争议处理程序上基本一致。为避免重复立法，造成立法资源的浪费，应当制定统一的劳动关系争议处理法。再次，从现实情况来看，人事争议大量是由国家机关和事业单位内部处理的，提请仲裁和诉讼的案件很少。北京市去年一年人事仲裁案件仅 150 件。而提请人事仲裁的案件恰恰与劳动关系争议案件的争议标的大体相同，否则都由单位内部作出处理。有的同志提出，制定一部统一的劳动关系争议处理法，有利于解决现在法律适用混乱的问题，制定一部法律并不影响在仲裁中可以分别适用劳动和人事的实体法规定。

2. 有的同志提出，人事仲裁与劳动仲裁有明显差异，人事仲裁应当单独立法。第一，人事仲裁与劳动仲裁的立法依据不同。

劳动仲裁依据劳动法，人事仲裁依据公务员法。第二，人事仲裁的对象和处理范围是特定的，具有特殊性。国家机关公务员、解放军文职人员和事业单位在编制管理、经费管理、工资制度上不同于企业。第三，人事仲裁与劳动仲裁适用的政策法规不同，在实体法上是两个相对独立的体系。因此，二者虽然在性质上有相似之处，但若制定统一的劳动关系争议处理法，则与目前的管理体制不相适应，在一些重要内容方面只能规定一些基本原则，很难兼顾到两种仲裁的特性。第四，人事争议仲裁制度已经初具规模。目前全国 130 万事业单位，有 3000 万人实行聘用制。我国自 1995 年起建立人事争议仲裁制度，现今已有 24 个省、自治区、直辖市制定了人事争议仲裁条例，建立了 2044 个人事仲裁机构，仲裁员 14000 人，共仲裁案件 2.8 万件。去年全国共仲裁 5000 件人事争议案件。

3. 有的同志提出，劳动和人事的争议处理有共性，也有特殊性，制定一部统一的争议处理法，难度比较大。科技部林新介绍，全国 4000 多家科研机构，大多是由具有参照公务员管理的或者是实行聘用制的事业单位身份的人员，与具有劳动合同关系的各种勤杂人员组成，后者约占 20%。在争议处理上，具有劳动关系的比较顺畅，而人事关系的比较复杂，争议大多集中在当身份转换时，包括出国、停薪留职等，其工资福利、工龄、退休待遇等，与单位产生争议。文化部刘长权介绍，全国 26000 多个文艺团体，其中三分之二的演员每年多数时间在单位外演出，以劳务派遣、签协议、走穴等各种形式衍生出各种劳动关系，完全改变了事业单位的人事关系。出现的大量争议现在只能靠各单位解决。有的同志提出，制定统一的劳动争议处理法也需要考虑与事业单位改革同步，与社会保障等制度相衔接。

4. 有些同志提出，劳动和人事两种争议处理制定统一的劳动关系争议处理法更符合法制发展的趋势，但我国管理体制上的确又有些不同，人事管理方面缺少实体法的依据。制定一部好法必须研究怎样才能更符合我国国情，国务院也正在研究解决一些部门职能交叉的问题。因此，需要研究劳动关系争议处理法是一步到位还是分两步走。

（三）关于集体劳动争议是否纳入本法的调整范围

有的同志提出，基层工会组织弱化、劳动关系个人化是目前的显著特点，立法的重点应该是个人劳动争议，集体劳动争议可以通过订立履行集体合同，由政府备案监督来加以规范。

有些同志认为，虽然劳动关系个别化是一个国际趋势，但我国仍是传统的产业劳动关系，仍然存在大量的集体劳动争议。据统计，1999 年辽宁省共有 12 万余件劳动争议案件，其中集体劳动争议案件 9043 件，仅占 7.5%，但涉及 31 万人，占到涉案总人数 47 万人的 66%。集体劳动争议案件比个人劳动争议影响更大也更为复杂，对社会稳定也有较大影响，立法上必须要给予足够的重视。现在的问题是对于逐年上升的集体劳动争议案件，我国企业劳动争议处理条例并无相应的解决机制。有专家介绍，鞍山市总工会率先创建集体合同仲裁机制，通过依法仲裁，妥善解决了企业长期拖欠工资、保险福利、集资款和失业经济补偿金等问题，可以为集体劳动争议处理立法提供借鉴。如 2001 年到 2004 年期间，鞍山市有 131 户企业通过集体合同仲裁，为 10 万余名职工清欠债务 11.24 亿元。

二、争议处理方式的选择

有关部门和专家一致认为，不应就劳动仲裁单独立法，应当制定一部能够把协商、调解、仲裁、诉讼等争议处理方式都包括在内的劳动关系争议处理法。

1. 协商制度

有的专家提出，协商也是解决劳动争议的一种方式。协商有两种情况：一种是劳动者直接和雇主协商；另一种是工会为维护职工的权益同雇主协商。虽然协商可能只是一项原则，但实践中对解决集体劳动争议，可以发挥其特殊作用。因此，立法仍应该为协商留出一定的地位。为了保障协商真正发挥作用，还应当规定经协商达成的和解协议具有合同效力。

有些同志提出，劳动关系三方协商机制不是具体处理劳动争议的方式，但是劳动争议处理机构的组建、劳动争议处理工作的开展都需要政府、工会组织和企业组织密切合作。因此，我国劳动争议处理法应当对三方协商机制在劳动争议处理工作中的地位、职能作出规定。有的同志提出，这一原则的适用主要在两个层次：一是在劳动争议委员会进行管理、指导、决策研究；二是在集体劳动争议案件中涉及利益之争时适用仲裁或诉讼。

2. 调解制度

劳动法和企业劳动争议处理条例都规定了调解是解决劳动争议的基本方式之一。有些同志提出，工会法规定了工会应当代表和维护职工的利益，而根据企业劳动争议处理条例的规定，工会在企业调解委员会中处于居间协调的地位，这使工会很难公正有效地处理劳动争议，建议工会代表职工，与企业方面成立企业协调委员会。同时在地方上建立超越企业的区域性和行业性的社会化调解机构。这方面一些地方已经有比较成功的实践，可以为立法提供借鉴。至 2003 年年底，浙江省宁波市 143 个乡镇和街道建立了劳动争议调解组织。从 2002 年到 2004 年 6 月，全市乡镇街道劳动争议调解组织共调处劳动争议 11228 件，为职工挽回各类经济损失 12267 万元。

也有同志认为，企业调解委员会发挥了很大作用，较好地做到了把矛盾消化在基层。有的专家提出，为了达到争议的及时、低成本处理，应主要采用非诉讼方式，使大多数劳动争议由调解解决。可以研究利用基层的人民调解组织，解决劳动争议。

多数同志认为，应当赋予调解协议法律上的效力，立法上可以借鉴最高法院的司法解释，认定调解协议为劳动合同。

3．仲裁制度

有些专家和部门的同志指出，我国仲裁体制存在行政办案倾向严重、三方原则虚化、办案人手严重不足、队伍素质不高等问题。建议仲裁委员会应当坚持三方原则，其办案机构应当实体化，人员、办案经费和场所应当予以保障；国家设立仲裁机构，对省级仲裁委员会办案实行监督；还应对仲裁收费作出明确的规定等。

4．诉讼制度

一些专家和部门的同志提出，复杂的劳动争议案件最终要靠法院解决，但诉讼程序繁琐、审判效率过低使得有些简单劳动争议也无法及时、经济地解决。因此，应当有针对性地规定审理劳动争议的简易程序、审理集体劳动争议的特别程序。还有的同志提出，人民法院应当在基层和中级人民法院设立劳动法庭，专门审理劳动争议案件。

三、仲裁与诉讼的关系

劳动法规定的是“仲裁前置”、“一裁一审”制度，仲裁法规定的是“或裁或审”制度。劳动关系争议处理法选择何种模式，有以下三种不同意见：

(一)仲裁前置

大多数专家和部门还是希望维持现行制度，理由如下：一是有数据显示，劳动争议案件经过仲裁后约有50%的案件流向法院，现行劳动仲裁机制尽管效率不高，但对于减轻法院负担还是有一定作用的；二是担心一旦改成“或裁或审”，老百姓在只相信法院的心理下，会有大量案件流向法院，造成诉讼案件过多，法院难以承担；三是现有体制在实施中有多年的经验，维护现有体制有利于社会稳定；四是避免法院和仲裁委员会互相推诿，利于劳动争议的及时解决；五是劳动争议案件一拖几年并非因为仲裁前置，而是由于诉讼时间过长。

(二)裁审分离

有的同志认为，从案件类型上来看，劳动争议案件已经由身份之争为主转到以经济诉求为主。去年北京市仲裁案件中，有关工资、补偿金等劳动报酬争议占53%，有关解除劳动合同争议占28%，有关社会保险费争议占10%，其余的是有关劳动监察处罚引起的争议。由于对政策法规比较了解，仲裁在解决身份之争方面是有优势的；而法院有着多年积累的民商方面的审判经验，对于解决经济诉求有着天然的优势。因此，主张采取“裁审分离”方式，而且要将有经济诉求的劳动争议尽可能地采取诉讼的方式解决。

有些同志主张“或裁或审”,一方面尊重劳动者的选择,另一方面可以减少争议解决过程中一些不必要的环节,更及时、更经济地解决劳动争议案件。可以考虑实行一裁终局或者两裁终局,同时也要建立对仲裁委员会的监督机制。

(三)分类处理

有的同志提出,对劳动争议处理模式,不宜作简单化规定,应当分门别类,具体问题具体分析。第一类,只裁不审,适用于确认劳动关系等简单劳动争议;第二类,只审不裁,适用于用工主体资格较为特殊的劳动争议,以及个人雇工属于民事关系的劳动争议;第三类,作为一般程序,实行或裁或审,尊重当事人的意愿,由当事人选择;第四类,实行一裁一审,裁审衔接,适用于案情较复杂的劳动争议案件。

四、劳动争议仲裁的机构设置和程序

(一)劳动争议仲裁委员会的产生

有的同志提到,应该依据三方原则建立劳动争议仲裁委员会。必须提高仲裁员的业务水平,并保障其公正性、中立性,由行政官员兼任仲裁员的做法必须予以改变。建议仲裁委员会委员作为独立第三方,应该由资深专家或者其他无利害关系的人员担任。

(二)仲裁时效

《劳动法》第八十二条规定:“提出仲裁要求的一方应当自劳动争议发生之日起六十日内向劳动争议仲裁委员会提出书面申请。”有些专家和部门提出,时效过短不利于劳动者的维权,不利于和谐社会的建设,建议延长到六个月或者更长时间。

五、劳动关系争议处理和劳动监察的关系

有的专家提出,从长远看,劳资争议行政介入应较少,由工会、企业联合会等社团自治或通过法律解决为佳。但在现阶段,我国仍应强调行政介入,原因在于行政的高效率。事实上,如果我们社会发展的观念没从追求 GDP 增长中转变过来的话,我国很难解决劳资争议愈演愈烈的问题。

有些同志认为:第一,劳动监察不是专门的劳动争议处理方式,它只是附带解决部分争议,不需要纳入劳动关系争议处理法。劳动监察是依职权的行政管理行为,它的优势体现在制定标准然后监督执行,不像劳动争议处理法确立的是一种中立的、不告不理的机制。第二,劳动监察实际上是一种政府介入、解决工会和企业争议的手段。目前我国缺乏成熟的劳资双方,许多问题得依靠政府加强管制来解决,因此,需要研究如何适当地利用好劳动监察制度,与劳动争议处理机制形成互补。第三,从目前情况看,解决劳动争议要实现“多条腿走路”,有些制度功能的重叠是必然的,但整体来看有分工,像讨工资这种比较简单、发生在特定行业的劳动争议,适用劳动监察比较有效。

我国劳动争议处理的基本情况和主要问题

一、劳动争议处理的基本情况

（一）劳动争议仲裁案件处理情况

据统计，自1987年我国恢复劳动争议处理制度以来，截止2005年底，全国各级劳动争议仲裁委员会累计立案受理劳动争议案件172万件，涉及劳动者532万人。2005年全国各级劳动争议仲裁委员会共立案受理劳动争议案件31.4万件，涉及劳动者74.4万人。自1987年以来，劳动争议案件年均增长率达27.3%。“十五”期间，在劳动争议案件基数迅速增大的情况下，案件数量年增幅仍然达到18.4%。2005年，劳动争议案件增幅为20.5%。面对持续快速增长的劳动争议案件，各地劳动仲裁机构克服案多人少的困难，历年来结案率保持在92%以上。二十年的劳动争议处理实践表明，劳动仲裁在处理劳动争议中发挥了主导作用，依靠现有的劳动仲裁力量在化解劳资矛盾方面发挥了重要作用。

（二）劳动仲裁组织机构状况

目前，劳动仲裁组织主要由劳动争议仲裁委员会和劳动争议仲裁委员会办公室组成。这种设置的突出问题是职能不清、劳动争议处理能力严重不足。由于仲裁委员会是个由劳动关系三方代表组成的虚设机构,其职能和作用均不明确;具体办案由仲裁委员会办公室来承担,没有专门的办案机构从事案件处理,虽然有聘请的兼职仲裁员,但主要是由行政人员来具体办案。据2004年底的统计数字,全国共有各级劳动争议仲裁委员会3138个,专职仲裁员7424名,兼职仲裁员真正开展办案的非常少。在这种单靠行政力量办案的状况下,面对逐年增多的进入仲裁环节的劳动争议案件,劳动仲裁办案力量显得非常薄弱,工作压力很大。东部沿海地区案件多的问题尤为突出,有些地区仲裁员人均年办案量超过了200件。北京市1987年仲裁员编制为61人,案件量为39件,到2004年,案件量比1987年增加了408倍,而仲裁员人数增加了53名,仅增加了1.86倍。2005年全市仲裁员人均年办案量达到140件以上,平均不到2个工作日就要审结一起劳动争议案件。海淀、朝阳等案件较集中的地区,案件压力更大,许多仲裁员处于超负荷的工作状态。此外,绝大部分劳动仲裁机构没有独立的经费,只能由劳动保障部门的行政经费兼顾维持。

近年来,面对快速上升的劳动争议案件,浙江、山东、黑龙江、辽宁、广东、广西等省、自治区通过推行劳动仲裁机构实体化,将劳动保障部门承担的行政职能与办案职能分离开,建立专门办理案件的机构,使部分地区案多人少的问题有所缓解。例如,浙江省从2003年开始建立专门的劳动争议处理机构,配备专职办案人员,专门承担劳动争议调解和仲裁的职责,到目前为止,共成立劳动仲裁院38家,其中省级1家,11个市成立了9家仲裁院或增加了专项编制，县(市、区级)26 家。仲裁院作为独立的劳动争议处理机构，保证了大量的劳动争议案件能够得到切实稳妥的处理；行政部门则负责指导劳动争议处理工作以及对劳动仲裁员实行监督和管理；劳动关系三方委员会不参与具体案件的处理，在宏观层面上作为一个劳动关系调整的议事机构。

(三)人事争议仲裁案件处理情况

人事争议仲裁目前已初步建立了四个方面的基本制度，即按照多方协调的原则设置仲裁委员会；实行以级别管辖为主，级别管辖和地域管辖相结合的仲裁管辖制度；建立以仲裁委员会独立裁决为主要内容的办案制度和仲裁前置、法院负责执行与监督的裁审制度，初步实现了人事争议处理的规范化。1997 年，人事部下发了《人事争议仲裁处理暂行规定》，规定了人事争议仲裁受案范围、管辖、仲裁机构、仲裁期限以及仲裁程序等。2002 年，国务院办公厅转发了人事部《关于在事业单位试行人员聘用制度意见的通知》，明确要求建立事业单位人事争议仲裁制度，及时公正处理聘用制履行中的人事争议。2003 年，最高人民法院就事业单位人事争议仲裁作出了司法解释，实现了人事争议仲裁与司法的衔接。目前，重庆市、福建省出台了人事争议仲裁地方性法规，另外还有 26 个省、自治区、直辖市制定了人事争议仲裁政府规章。

截止 2005 年底，全国已有人事争议仲裁机构 2140 家，各省、自治区、直辖市都已建立了人事争议仲裁机构。近 70% 的地市和 50% 的县设立了人事争议仲裁机构。全国各级人事争议仲裁机构专兼职仲裁员 17000 多名，从 1997 年以来，已累计处理人事争议案件9万多件。2005年全国处理人事争议案件5000多件。

二、劳动争议处理的主要问题

(一)劳动调解未能发挥有效作用

企业劳动争议调解委员会历史上曾经是受理和调解劳动争议案件最多的机构。近年来虽然劳动争议案件大量增加,但企业内的调解反而弱化了。据全国总工会统计,截至2003年9月,全国企业劳动争议调解委员会为153113个,与2002年相比减少了11824个,下降7.2%;组建率为11.2%,与1997年相比下降了56%。主要原因是:企业工会的职责是维护职工权益,在调解组织中,并不是处于中立地位,使得三方原则虚化。另外,大量新建企业没有依法建立劳动争议调解组织,一些已建企业也因为调解委员的下岗、退休,没有及时调整和补充,队伍萎缩,甚至名存实亡。

近年来,为了解决企业调解组织的问题,区域性劳动争议调解组织有了较快发展,地方上的一些实践取得了比较好的成效。例如,浙江省宁波市至2003年年底,143个乡镇和街道建立了劳动争议调解组织,从2002年到2004年6月,全市乡镇街道劳动争议调解组织共调处劳动争议11228件,为职工挽回各类经济损失12267万元。但是区域性劳动争议调解组织缺乏规范性,其进一步发展需要得到立法上的肯定。

从总体上看,劳动争议调解职能正在弱化,调解结案率呈逐年下降的趋势。据统计,劳动法实施以来,各级劳动争议调解组织调解成功的劳动争议案件只有24.4万件。2005年,全国各级劳动争议调解组织受理劳动纠纷25.8万件。其中,区域性劳动争议调解组织受理6.5万件。企业劳动争议调解委员会调解成功率低于20%。这种状况不仅不符合劳动争议处理工作的着重调解原则,还严重地影响了劳动争议处理程序整体功能的发挥,加大了司法成本,导致了矛盾的集聚,影响了当事人的权益保护。近年来,有的地方加强了劳动调解工作,努力将大部分矛盾解决在基层,达到了很好的社会效果。如浙江省通过完善企业内部的调解机制,建立区域性调解机构,加强基层劳动争议调解,力求将争议消灭在萌芽状态,还借助社会其他调解组织的力量,如工会维权中心,来化解一部分矛盾。因此,浙江省的调解结案率一直保持在较高的水平,2005年已结案件18366件中,调解结案9661件、通过调解撤诉的3551件,两者相加占结案案件的72%。

(二)时效过短,影响当事人的权益保护

目前的劳动争议时效制度存在的问题是:首先是申请劳动仲裁时效过短,《企业劳动争议处理条例》规定当事人申请仲裁的时效为6个月,劳动法将其缩短为60天。缩短时效的目的是为了更快地解决劳动争议,但60天的超短时效让当事人承担了过多的法律风险。近年,劳动仲裁不予受理的案件增加较多,其中多数是因超过了仲裁时效。如沈阳市1994年、1998年、2001年和2003年不予受理案件分别为35件、146件、853件和1221件,逐年增加。2003年不予受理的案件中,其中超申诉时效的达1055件,占86%。其次是时效中止、中断制度不完备,《劳动争议处理条例》规定,劳动仲裁时效自“当事人知道或者应当知道其权利被侵害之日”起算,只有三种特殊情况中止计算:一是发生不可抗力事件；二是当事人选择了企业劳动争议调解委员会进行调解；三是其他正当理由（如《劳动争议仲裁委员会办案规则》规定的请示待批、工伤认定等几种情形）。这种严格的中止、中断条件影响了劳动争议当事人的自主协商机制，加剧了劳动争议处理方式的升级。第三表现为仲裁和诉讼对时效效力认定不统一。按照现行有关规定，在仲裁程序中，仲裁时效的效力是消灭“仲裁申请权”。即对经过立案审查认定超过仲裁时效的案件，劳动争议仲裁委员会采取的是“不予受理”方式；而在诉讼程序中，仲裁时效的效力是消灭“胜诉权”。即对经过审理认定超过仲裁时效的案件，人民法院采取的是“驳回起诉”方式。正是由于仲裁和诉讼规定的不统一，两者性质的差异，使得不少劳动争议案件未经仲裁程序的实质审理直接进入诉讼程序。

（三）劳动争议处理周期过长

劳动争议案件处理需经“一裁二审”程序，周期过长，这是社会各界普遍反映强烈的突出问题。据全国劳动仲裁部门的统计，在法定的60天处理时限内仲裁结案超过96%。案件较多的广东、上海，仲裁程序的案均处理时间在40～50天左右；诉讼一审的案均时间，广东为110多天，上海为90多天；诉讼二审的时间，上海为60多天。调查和统计表明，周期长的案件主要是少数不服仲裁裁决起诉到法院的案件。劳动争议处理周期过长，还因工伤争议案件等一些特殊案件，一个案件往往经过劳动关系认定、工伤鉴定、行政复议、劳动仲裁、司法审判等各环节，需要反复数次仲裁和审判，非常繁琐，处理周期拉得很长（个别案件甚至长达19年），致使当事人特别是劳动者的权益受到严重影响。另外，造成处理周期长也有人为因素，有些当事人滥用一裁两审的程序，如有些用人单位为了逃避欠薪等责任恶意拖延，一裁二审打下去，而劳动者则拖延不起，维权成本畸高。

（四）仲裁与诉讼依据不统一，影响仲裁效率

目前，我国劳动仲裁和诉讼的关系，只体现在仲裁是诉讼的必经程序上。劳动仲裁主要依据政策文件裁决，而诉讼依据法律法规审理，导致仲裁与诉讼的结果不一致。诉讼成了审理仲裁裁决，因此，当事人仲裁之后必然要提起诉讼，一定程度上造成仲裁资源的浪费。

从我国目前劳动争议案件的起诉率看，大体维持在仲裁受理案件总数的20%左右，劳动争议案件的上诉率不超过一审受理案件的30%。如广东省的劳动争议案件起诉率不到20%，上诉率不到10%；上海市起诉率不到10%，上诉率不到30%；济南市的起诉率约为33%。从劳动争议案件裁审结果的不一致率看，上海市近年来维持在20%～30%的幅度，济南市在30%左右。导致裁审结果不一致的主要原因除仲裁与诉讼程序之间法律适用不同、时效认定不同、案情本身发生变化外，还有事实认定不同、赔偿计算依据不同等其他原因。因此，裁审衔接是立法中需要关注的问题之一。

部分国家和地区的劳动争议处理制度简介

劳动争议处理是世界各地共同面对的问题。目前各个国家和地区劳动争议处理体制,大体可以分为三种类型:

一、设立专门的司法机构处理劳动争议案件

在欧洲、亚洲和非洲,很多国家和地区都设有劳动法院、劳动法庭、就业法庭或其他类似的专门司法机构审理劳动争议案件。其中最典型的当属德国、法国和英国,其他的国家和地区或多或少都是受到上述三个国家的影响。在建有专门司法机构的国家中,司法机构的组成、审判程序以及司法机构在处理劳动争议案件实务中的作用也不完全相同。

(一)德国的劳动争议处理体制(图1)

德国的劳动争议处理机构主要是劳动法院,劳动法院不仅处理个人劳动争议案件,而且处理集体争议案件。德国的法院体系包括宪法法院和普通法院、行政法院、劳动法院、社会法院和财税法院六大系统,劳动法院是其中之一。德国通常被视为最典型的实行劳动法院体制的国家,颁布有专门的《劳动法院

法》，劳动法院自上而下形成一个完整的、独立的系统，包括基层劳动法院、州劳动法院和联邦劳动法院三级，分别负责劳动争议案件的一审、二审和三审。

德国的劳动法院由职业法官和名誉法官组成。职业法官依据法官法录用任命，名誉法官分别来自雇员和雇主双方，由雇主协会和工会提名，报政府部门任命，任期4年。

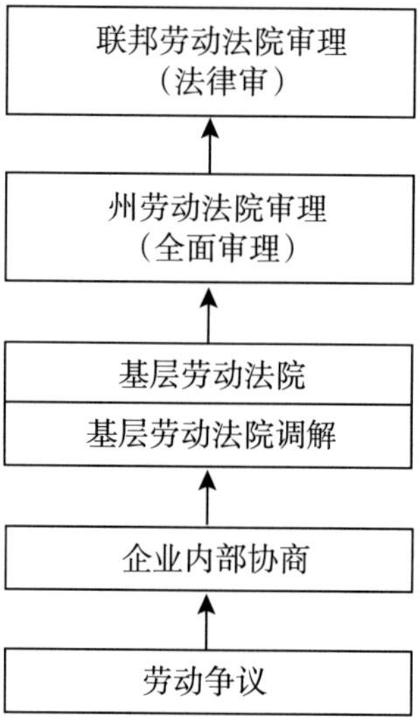

图1 德国劳动争议处理体制示意图

德国劳动争议案件的处理程序为：劳动争议发生之后，当事人可以开展企业内部自主协商。企业内部协商由企业委员会（雇员代表组成）代表员工和雇主代表进行。当事人不愿协商或者协商不成的，当事人可以向基层劳动法院起诉。基层劳动法院受理案件后，首先必须启动庭内调解程序。调解由职业法官主持，调解协议具有法律效力。调解不成的，即由一名职业法官和两名名誉法官进行开庭审理。职业法官和名誉法官在案件审理过程中权利完全平等。开庭审理分为“裁判程序”和“决议程序”两种，前者适用于个人劳动争议案件，后者适用于集体争议案件。当事人不服基层劳动法院判决，可以向所在地的州劳动法院上诉。州劳动法院审理上诉案件也是由一名职业法官和两名名誉法官主持，对案件从事实认定到法律适用方面进行全面审理。州劳动法院在审理上诉案件期间可以进行调解。当事人不服州劳动法院判决的，还可以向联邦劳动法院上诉，但上诉必须先向原审州法院申请上诉许可。联邦劳动法院审理上诉案件，由三名职业法官和两名名誉法官主持，并且只就法律适用问题进行法律审。

到目前为止，全德共有123个基层劳动法院、19个州劳动法院和1个联邦劳动法院。每年审理劳动争议案件大约60多万件，其中大约50%由基层劳动法院庭内调解结案，上诉到州劳动法院的不到50%，上诉到联邦劳动法院的不到5%。

（二）法国的个人劳动争议处理体制（图2）

法国的劳动争议处理机构主要也是劳动法院。法国是世界上最早设立劳动争议案件专门司法机构的国家。十九世纪初期便设立了专门的劳动法院（由于法语中使用的是Conseilg一词，有人翻译为劳动争议审判委员会）。法国的法院体系包括宪法法院、普通法院、行政法院和争议法院（专门处理普通法院与行政法院之间的管辖争议）四个系统，劳动法院是普通法院系统中的一个组成部分。在普通法院中，受理一审民事案件的法院除劳动法院外，还有小额法院、大额法院、商事法院、农业仲裁法院和社会保障法院等专门法院。

法国的劳动法院只受理个人劳动争议，不管辖集体争议，并且只处理一审劳动争议案件。不服一审判决的上诉案件由上诉法院和最高法院按照民事诉讼程序处理。劳动法院内设调停部和判决部，分别负责案件调停和判决活动。

法国的劳动法院不设职业法官，案件审理工作全部由兼职法官进行。兼职法官分别由工会和雇主组织按照民主程序选举产生，任期5年。劳动法院审理案件实行对等原则，通常由八名兼职法官组成，劳资双方人数相等、权利相同，判决按照少数服从多数原则作出。正反意见相同时，由一名民事法官来决断。

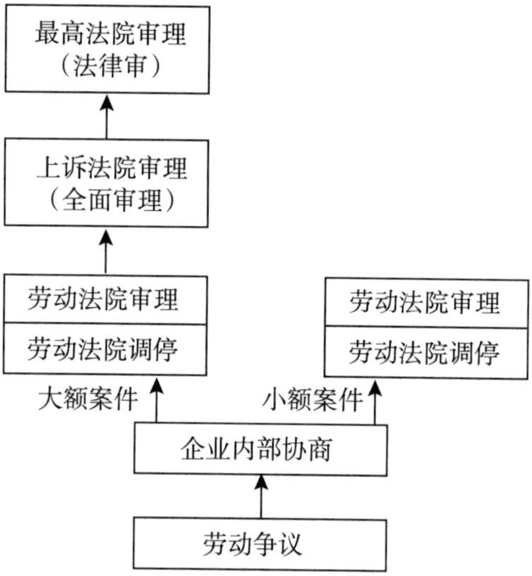

图2　法国个人劳动争议处理体制示意图

法国的个人劳动争议案件的处理程序为：劳动争议发生之后，首先在企业内部自行协商。协商可以由员工代表与雇主代表进行，也可以由企业委员会进行。自行协商不成的，当事人可以向劳动法院起诉。劳动法院受理后,先由调停部调停,调停无法达成协议的,由判决部判决。

法国将案件分为小额案件和大额案件。争议标的未达到法定数额(不固定,经常调整)的小额案件,劳动法院的判决是终局生效判决,不允许上诉;对于大额案件,当事人不服劳动法院一审判决的,可以向上诉法院社会庭上诉。上诉法院审理上诉案件,从事实认定和法律适用两方面进行全面审理。当事人不服上诉法院上诉判决的,还可以向最高法院社会庭上诉,但最高法院只进行法律审,即只审理法律适用问题,不审理案情事实部分。最高法院发现判决适用法律错误,通常都是发回重审。

(三)英国的个人劳动争议处理体制(图3)

英国的个人劳动争议处理机构主要有咨询调解和仲裁服务局(ACAS)、就业法庭(ET)、就业上诉法庭(EAT)。

咨询调解和仲裁服务局(ACAS)成立于1974年,是政府出资设立的从事劳动争议预防和处理工作的独立的公共机构。其理事会由商业、工会和独立的第三方人士组成,报贸易工业部任命。ACAS的工作职责主要体现在三个方面:一是预防劳动争议;二是调解和仲裁个人劳动争议;三是调解和仲裁集体争议。ACAS调解和仲裁实行自愿程序。ACAS在英格兰、威尔士和苏格兰地区设有13个分支机构。现有工作人员889人,其中职业调解员230人。

就业法庭(ET)成立于1964年,是专门处理个人劳动争议案件的专业法庭,是英国司法系统的一部分。类似的专业法庭,全英国共有90多个,就业法庭是其中最大的一个。就业法庭处理劳动争议案件实行全免费,所需工作经费由贸易工业部拨付。

就业法庭由主审法官、陪审员和行政人员三部分组成。主审法官从有律师执业经历的人员中选任,分专职和兼职两种,统一按照司法程序任命;陪审员均为兼职,由就业法庭根据需要委托中介公司招聘后,报经司法任命。陪审员由雇主与雇员两方面的代表组成,但同时也要兼顾性别比例和种族结构。陪审员不能独立地行使司法权,但在案件审理过程中,与主审法官享有平等权利。

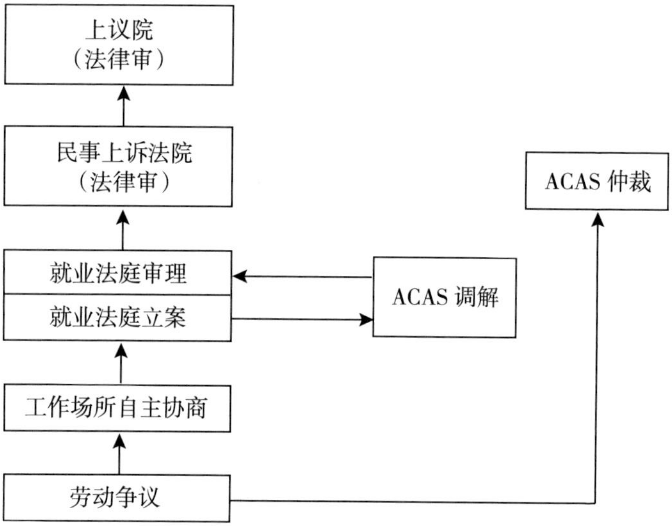

图 3　英国的个人劳动争议处理体制示意图

就业上诉法庭(EAT)是专门处理不服就业法庭判决提出上诉案件的司法机构。就业上诉法庭同样由主审法官、陪审员和行政人员组成,但就业上诉法庭的法官大多同时在其他法庭兼职。

就业上诉法庭只审查法律适用问题,不审查案件事实部分。

对于受理的上诉案件，就业上诉法庭采取合议庭审理方式，合议庭由一名主审法官和两名陪审员组成。就业上诉法庭听证只要求双方当事人到场，不需要证人出庭，不进行质证。就业上诉法庭的判决一经生效，其有关法律适用的解释对其他法院具有约束力，构成判例法的一部分。

英国的个人劳动争议处理程序为：劳动争议发生之后，首先应在工作场所进行自主协商，未经工作场所自主协商程序的，就业法庭一般不予受理。但解雇争议和歧视争议，如果当事人之间订有仲裁协议，可以不经自主协商程序，直接提交 ACAS 仲裁。当事人自主协商达不成一致时，可以自争议发生之日起 3 个月内到就业法庭申请立案。就业法庭受理立案后，直接移送 ACAS 调解。如果当事人拒绝调解或者在规定时限内达不成调解协议，即由就业法庭审理。如果一方或双方当事人不服就业法庭的判决，认为就业法庭的判决适用法律错误时，可以要求就业法庭重审，也可以向就业上诉法庭申请上诉。当事人对就业上诉法庭所做判决的法律适用不服，可以向上诉法院中的民事庭提出上诉，进入民事诉讼程序。当事人对就业上诉法庭所做判决的法律适用仍然不服，还可以上诉到上议院。

英国的劳动争议处理体制看似繁杂，上诉程序多。但英国法律对上诉程序做了非常严格的限制，上诉事由仅限于对法律适用不服，上诉之前必须向原审法院提出申请，获取上诉许可。从实际效果来看，ACAS 是英国最主要的劳动争议处理机构，75% 左右的案件都是由 ACAS 调解终结的。进入就业法庭的案件约占 25%，每年上诉到就业上诉法庭的案件大约 2000 件，上诉到民事上诉法院的案件大约 30 件。上诉到上议院的劳动争议案件有史以来仅有4件。

（四）香港地区的个人劳动争议处理体制（图4）

香港地区的个人劳动争议处理机构主要是劳资关系科、劳资审审裁处和小额薪酬索偿仲裁处。劳资关系科是政府劳工处内的一个职能部门，主要职能是为雇主和雇员提供劳动关系、劳动条件咨询，同时接受当事人的申请，开展劳动争议调解。据有关统计资料，香港60%左右的个人劳动争议最终由劳资关系科调解结案。劳资审裁处是香港法院系统的一部分，属于特别法庭。其生效裁决结果作为法律判决的一部分，具有法律强制执行力。小额薪酬索偿仲裁处设在特区政府劳工处内，属于行政机构，但具有准司法性质。仲裁员由劳工处长任命。生效仲裁裁决在区域法院办理登记手续后，取得与法院判决同等的强制执行力。香港将个人劳动争议案件分为小额案件和其他案件。每起案件的申请人不超过10人、每人申请额不超过8000元的案件为小额案件；其他的为非小额案件。小额案件由小额薪酬索偿仲裁处专属管辖；其他案件由劳资审裁处专属管辖。

劳资审裁处和小额薪酬索偿仲裁处处理劳动争议案件都实行独任制，由一名审裁员或仲裁员进行；处理过程以公开为原则，以不公开为例外；处理程序相当灵活，不过分拘泥于形式；案件处理过程中禁止律师参与。

香港个人劳动争议的处理程序为：劳动争议发生后，当事人可以向政府劳工处劳资关系科申请调解，劳资关系科的调解是自愿性的，不是强制程序，调解协议也不具备法律上的约束力。当事人不愿调解或调解不成的，小额案件当事人可以向小额薪酬索偿仲裁处申请仲裁，其他劳动争议案件可以向劳资审裁处申请裁决。当事人不服仲裁或裁决的，可以向原仲裁或裁决机构申请复核，也可以向高等法院原诉法庭起诉，当事人不服原诉法庭判决的，还可以向高等法院上诉法庭上诉。

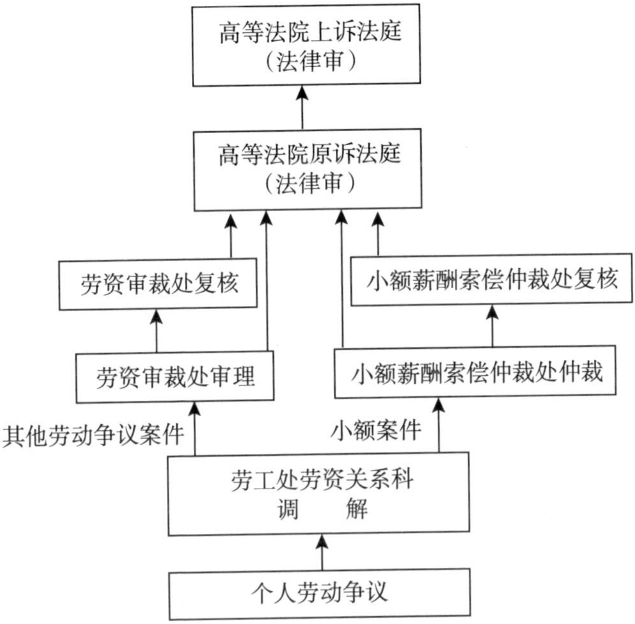

图4　香港地区的个人劳动争议处理体制示意图

二、以第三方调解和仲裁为主导的劳动争议处理制度

劳动争议处理体制以第三方调解和仲裁为主导的国家世界上并不太多，最典型的有美国、加拿大和澳大利亚三国。

（一）美国的个人劳动争议处理体制（图5）

美国的劳动争议处理机构包括联邦调解调停局（FMCS）、独立仲裁员和联邦法院三个方面。由纯民间的仲裁员独立仲裁劳动争议案件是美国劳动争议处理体制的最显著特征。

FMCS 是由政府出资成立的一个独立机构，局长由总统在参议院通过人选后任命。调解员分为专职和兼职。专职调解员按照公务员管理，兼职调解员依照有关规定享受待遇。FMCS 的职责是免费调解除就业歧视争议（注：美国的就业歧视案件由雇用机会均等委员会调解和处理，并且是强制性的，未经雇用机会均等委员会调解，不得向法院起诉。）外的集体争议和个人劳动争议案件，调解是自愿性的，调解协议不具备法律约束力。

美国的劳动争议仲裁也是自愿的。是否进入仲裁程序，大部分情况下都是由企业的集体合同作出事先规定，没有集体合同的企业也可以由个人劳动合同约定。无论以哪种方式，只要选择了仲裁，便排除了司法管辖权。如果当事人对仲裁约定发生争议，由法院判定，通常法院都会确认仲裁管辖。美国的劳动争议仲裁由纯民间的仲裁员以自己的名义独立进行。仲裁员通常挂靠在仲裁员协会等组织名下，由当事人自由选任。仲裁员的裁决具有法律效力，当事人可以就仲裁裁决向联邦法院起诉，但法院只做程序监督，不做实质审查。只要仲裁管辖无误、没有欺诈、腐败和违法法定程序，法院即确认仲裁裁决的法律效力。

联邦法院是美国处理劳动争议案件的司法机构。如果争议当事人没有就仲裁达成协议，可以向联邦法院巡回法庭起诉。联邦法院处理劳动争议案件适用民事程序。

美国的劳动争议处理程序为：劳动争议发生之后，当事人可以在企业内部自主协商解决。自主协商通常包括向上司申诉、工会协助、同事审查委员会协商等阶段。在美国，越来越多的企业成立了由雇员代表或雇员和雇主双方代表组成的同事审查委员会。同事审查委员会作出的决定,在大部分案件中属于向雇主方提出的建议(通常都会被接受,从而达成和解),在一部分案件中甚至具有约束力。劳动争议未能自主协商解决的,根据当事人的申请或者征得双方当事人同意,由 FMCS 指定调解员进行调解。FMCS 调解仍然未能达成协议时,如果受约束的集体合同或个人劳动合同中规定了仲裁管辖,则任何一方当事人可以申请进入仲裁程序,由指定的独立仲裁员仲裁。当事人对仲裁裁决不服的,可以向联邦法院申请司法审查,联邦法院只审查仲裁程序;如果当事人事先没有仲裁协议,事后也未就仲裁达成一致,则可以向联邦法院巡回法庭起诉。当事人对巡回法庭的判决不服,可以依照民事诉讼程序上诉。

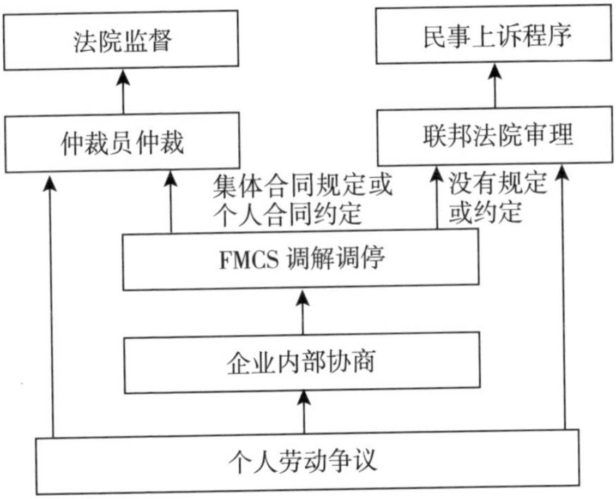

图 5　美国的个人劳动争议处理体制示意图

（二）澳大利亚的劳动争议处理体制（图6）

澳大利亚劳动争议处理的主要机构是产业关系委员会（AIRC）和法院。澳大利亚产业关系委员会是依法设立的独立的公共机构，46名成员全部由产业关系、经济和法律方面的专家组成。法院包括联邦法院和高级法院，是澳大利亚的联邦司法机构。除了上述联邦机构以外，各州的产业关系委员会和地方法院也承担处理本州内劳动争议的职责。

澳大利亚传统上工会力量比较强大，工会组织与雇主（组织）之间的集体谈判、集体合同制度是调整劳动关系的主要手段，劳动争议主要表现为集体谈判争议和集体合同争议。但1996年新的《工作场所关系法》实施后，个人协商和个人劳动合同开始发挥作用，个别劳动争议随之增加。目前澳大利亚正在修改产业关系立法。按照现行有效的产业关系立法的内容，澳大利亚的劳动争议既不分为集体争议与个别争议，也不分为权利争议和利益争议，而是按照争议的内容将劳动争议分为主要涉及产业关系方面的争议和主要涉及法律方面的争议。前者由产业关系委员会专属管辖；后者主要由法院处理，但双方当事人一致同意，也可以交由产业关系委员会调解或仲裁。产业关系委员会的裁决结果由法院负责执行。

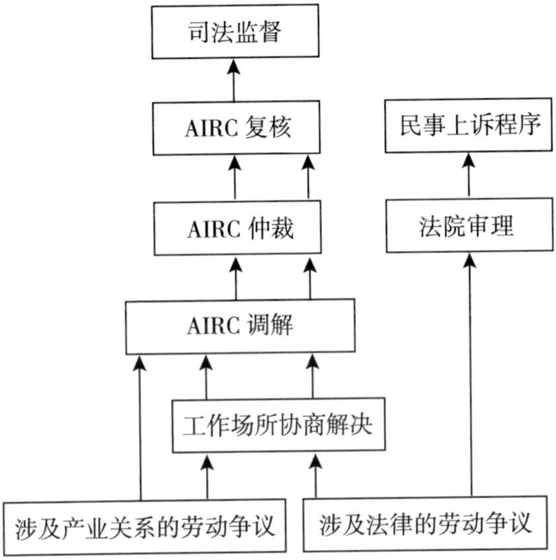

图 6　澳大利亚的个人劳动争议处理体制示意图

澳大利亚的劳动争议处理程序为：劳动争议发生之后，首先进行工作场所自主协商。当事人自主协商不成的，如果争议内容主要涉及产业关系方面，由 AIRC 进行调解。AIRC 调解不成的，当事人可以申请 AIRC 仲裁，当事人对仲裁裁决结果不服的，可以向 AIRC 申请复核一次。复核另行组织仲裁庭进行。AIRC 的复核结果具有法律约束力，只有在双方或一方当事人有理由证明产业关系委员会处理案件超越了法定权限，或者适用法律不当时，才可以向联邦法院申请司法审查。如果争议内容涉及法律解释问题，争议当事人可以协商选择 AIRC 仲裁，也可以向法院起诉，由法院按照民事诉讼程序审理（即实行或裁或审体制）。如果争议内容涉及法律合法性审查，则由法院专属管辖。

三、以普通民事诉讼方式为主导的劳动争议处理制度

以普通民事诉讼作为处理劳动争议案件主导方式的国家主要有日本、韩国、意大利和荷兰，其中日本最为典型（图7）。

日本在历史上以终身雇用制闻名于世，劳动关系调整偏重于集体劳动关系方面。但自上个世纪末期开始，雇用形式日渐灵活化，个别劳动争议案件逐渐增多。与之相适应，日本政府越来越关注个别劳动争议的处理。2001年制定了《个别劳动争议解决促进法》，2004年出台了《劳动审判法》。

日本的个人劳动争议处理机构包括政府部门、公共机构、民间机构和法院等多个方面。政府机构主要是指劳动基准署、公共职业安定所、雇用均等办公室和地方劳动部门。按照日本《个别劳动争议处理促进法》，相关政府部门有义务促成争议当事人和解，并接受当事人的请求开展调解或调停。公共机构是指劳动委员会。劳动委员会是传统的集体争议处理机构，但也有义务促成个人劳动争议当事人和解。当前日本社会各界要求劳动委员会在解决个人劳动争议方面发挥更大作用的呼声很高。民间机构主要指仲裁协会、律师协会等民间组织。它们主要是根据当事人的申请开展个人劳动争议调解或仲裁。法院是日本非常重要的个人劳动争议处理机构，也是兜底机构。所有未能通过诉前程序处理的案件都可以通过法院解决。按照日本2004年新制定的《劳动审判法》，法院处理劳动争议案件实行审判委员会（相当于审判庭）制度。审判委员会由1名劳动审判官和2名劳动审判员组成。劳动审判官由职业法官担任，劳动审判员由劳动关系专家担任。法院审理个人劳动争议案件首先进行调

解。调解不成则进入审判,审判及其后的上诉完全按照民事诉讼程序进行。据统计,2003 年,日本全国的地方法院共审结个人劳动争议案件 2393 件,案均审理时间为 11.8 个月。

日本个人劳动争议的处理程序为:劳动争议发生之后,首先应在企业内部自主协商,在内部协商过程中,政府部门和公共机构有义务提供援助。内部协商达不成一致时,当事人可以向政府部门、公共机构或相关的民间机构申请调解或仲裁。调解或仲裁未能解决争议的,可以向法院起诉。当事人也可以不经调解或仲裁直接向法院起诉。法院处理个人劳动争议案件,首先进行调解,调解不成的,依法审判。当事人不服法院判决的,可以按照民事诉讼程序上诉。

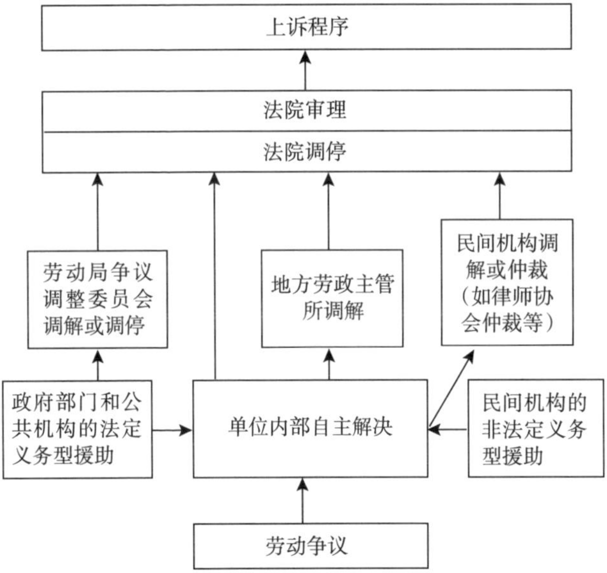

图 7 日本的个人劳动争议处理体制示意图

综合上述介绍，我们不难发现，由于文化传统不同、司法体系不同，各个国家和地区个人劳动争议处理体制的内容和程序设计不尽相同。并且，很多国家目前也正在对本国的劳动争议处理体制进行反省、检讨，甚至修改之中。我国与世界上其他国家和地区的国情差异，法治化进程不同，劳动关系基础也不一样。境外绝大部分国家和地区以集体劳动关系为核心，劳动纠纷更多地表现为集体争议；而我国是以个人劳动关系为主导，劳动纠纷主要集中于个别劳动争议。因此，我们不可能直接“克隆”境外的模式。但是，境外个人劳动争议处理体制中的一些共同特征值得我们借鉴，具体包括：1. 高度重视工作场所（企业）的自主协商程序，努力促成当事人及时、平和地化解纷争。2. 注重调解，不管是单设机构，还是在司法程序内，都将调解作为处理争议的最优手段，以减少对抗和冲突。从实际处理结果看，调解结案是所有的国家个别劳动争议处理的主要方式。3. 广泛应用“替代性纷争解决机制”（ADR），简化程序，针对劳动争议案件的特点设计更为灵活的方式促进劳动争议案件的快速处理。灵活化的程序不仅体现在司法外处理方式中，也体现在司法内处理过程中。4. 将最终的救济手段限定为少数复杂案件的“兜底”程序。几乎所有的国家都从立法上规定了可供当事人选择的多层次处理体系，但极少有案件走完全部程序。后期的救济渠道应专注于法律适用问题而不是案情事实问题。

美国劳动争议处理制度的基本框架及其特点

一、美国劳动争议处理制度的形成

美国劳动争议处理制度是伴随着70年前美国社会大骚乱而诞生的。当时,频发的劳动争议并没有通过法庭或者谈判和调解解决,而是常常以街头抗议或大型有时甚至激烈的罢工等形式爆发。1933年,美国各地发生停工事件高达1856起,严重波及并影响到美国经济的支柱领域,并使美国几座城市陷入街头暴力活动的泥潭。1935年,美国国会通过《国家劳动关系法》,保护工人建立并参与工会活动或不参与工会活动的权利,调整工会与雇主的关系,鼓励通过工会与雇主的集体谈判解决双方的争端。同年,国会通过成立国家劳动关系委员会,作为独立的联邦机构负责执行和实施国家劳动关系法,以保证雇员可以行使自己的权利,保护他们和公众免受不公平劳工行为的伤害。

国家劳动关系法通过12年后,美国国会进一步确定,集体谈判双方可以使用一个站在中立立场的帮手,以公平地向工会和公司管理层提供帮助。国会基于此种考量，于当年成立联邦调停调解局（FMCS），联邦调停调解局以一个由调解人组成的团队和第三方的中立身份随时向劳动者和管理层提供调解服务，帮助工会和雇主解决双方的合同争议。各州效仿也建立了本州的调停调解机构。自此，美国劳动争议处理制度的基础框架业已形成。

二、美国劳动争议处理制度的基本框架

雇主和雇员代表之间通过谈判协商解决争端，政府则通过使用调解、中介服务的方法帮助雇主和雇员代表在解决工资、工时和劳动条件等问题达成或维持协议，是美国劳动争议处理制度的基本政策。当事人也可以自愿选择通过民商仲裁解决纠纷。美国国家劳动关系法规定，减少劳工纠纷是雇员、雇员代表和雇主的共同责任。各方应尽一切努力制定和维持合理的有关工资、工时、工作条件的协议，对协议的修改要有合理的解释。在对协议条款和协议的实施产生纠纷时，任何一方应尽快要求会面，双方应尽最大努力尽快解决纠纷。如果解决不了，联邦调停调解局及其地区办公室则应尽快组织会议，实施调解，以帮助解决纠纷。

美国的劳动争议制度包括调解和仲裁以及法院审理三个层次。调解是由劳动关系双方当事人自愿选择的，仲裁则是由双方当事人在集体合同或个人劳动合同中约定的，而不是法律规定的必经程序（邮政、铁路、航空公司属于例外，美国《邮政雇员法》和《铁路劳动法》规定，这些部门发生劳动争议必须经过调解）。调解与仲裁都是由中立方作出的，其中由联邦调停调解局

及其地区办公室派出的调解员尽管有政府雇员的身份,但在调解中则完全处于中立方的立场。联邦调停调解局的调解是免费的。双方当事人也可以找第三方做调解,但第三方与联邦调停调解局持中立方立场不同,可能带有某种倾向。美国法律不要求劳动关系双方必须接受调解,调解的成功取决于双方当事人接受的程度,调解本身不具有约束力;而仲裁员则以私人和独立的身份实施仲裁,其裁决的结果是终局的,对双方当事人具有约束力。当事人一方可以就仲裁裁决向法院起诉,但除非仲裁员在审理和裁决中有徇私舞弊、越权等违反法律的行为,否则其作出的裁决法院通常会予以维持。由于仲裁与法院相比,具有时效快(法院审理一起劳动争议案件一般要花数年时间)、费用低(有的案件在法院花几百万美元还打不完),以及仲裁员属专家型、熟谙劳动法律法规,而法官则未必是专家等原因,目前美国绝大多数雇主和工会在集体合同中约定发生争议由仲裁裁决,个别的没有约定,出现争议则通过联邦巡回法院审理解决。非工会雇员即个人劳动合同出现的劳动争议(亦即就业争议),传统上由法院审理解决,目前这种状况正在改变。

三、企业内部劳动争议处理程序

美国的劳动争议处理制度重在从企业层面通过集体谈判和协商解决劳动纠纷。为保证企业内部的申诉得到公正处理,越来越多的美国公司主要是没有工会的公司,建立了同事核实委员会或审查团,全部或部分由企业雇员组成,参与内部申诉程序的某个环节。同事核实委员会通常是参与解决更为严重的争议(如解雇雇员或重要的索赔等)。

一个企业内部解决劳动争议的典型程序如下图：

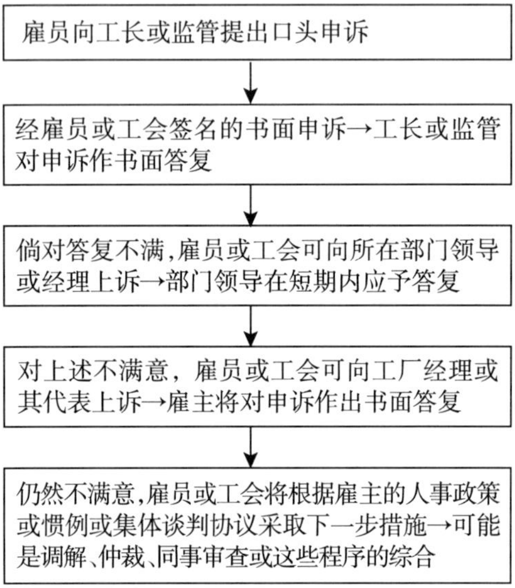

依据集体合同与个人劳动合同的差异，美国的劳动争议处理制度分为两大类，一类是雇员属工会会员的，由工会代表与雇主签订集体合同保障双方当事人的权利，另一类是雇员属非工会会员的，则由个人与雇主签订劳动合同。按照现行制度，前者引发的劳动争议由联邦法律主要是国家劳动关系法调整，联邦调停调解局侧重对这类集体谈判争议实施调解；后者引发的劳动争议则由各州立法调整，出现非集体争议即个人劳动争议通常通过法院审理以及仲裁解决。目前在美国，劳动者参加工会的比例由最高时33%下降至12%左右，集中在制造业和政府雇员中。越来越多的劳动者没有参加工会，涉及个人雇员索赔的诉讼正在迅速增长，每年高达数百万件。如今越来越多的雇主与劳动者在签订劳动合同时也约定选择仲裁作为解决劳动争议的途径。联邦调停调解局在调解集体争议的同时,也在努力尝试调解这类非集体争议。

联邦调停调解局对集体合同争议的调解,不仅是就争议本身的调解,还有所谓预防性调解。美国国家劳动关系法规定,企业工会或管理层在集体合同到期前 30 天必须通知联邦调停调解局,说明他们有意进行重新谈判。联邦调停调解局的调解员逐一与各方取得联系,通过调解协助双方在合同到期前达成协议。2003 年 10 月 1 日至 2004 年 10 月 1 日,美国全国共有 26526 份集体合同到期。由于调解是自愿的,联邦调停调解局的调解员参与了其中 5000 份集体合同的谈判,在调解员协助下解决争议的达 80%。而据联邦调停调解局底特律市办公室介绍,95% 的劳动争议案件可以通过调解解决,只有大约 5% 的案件进入仲裁。

劳动争议是否进入仲裁程序,是由双方当事人在集体协议或者劳动合同约定的,一旦约定仲裁就意味着双方当事人自愿放弃了诉权。美国的仲裁员是独立的个人,仲裁员资格没有法律规定,可以是专职,也可以是兼职,考察中我们了解到,许多仲裁员是由律师、教授、法官转行的。值得关注的是,仲裁员的遴选即由谁来实施某起劳动争议案件的仲裁,是由双方当事人协商确定的,而不是由政府机构或某一方单方面确定的。美国仲裁员协会负责为仲裁员提供有偿服务(须缴纳每年 300 美元会费),同时会谨慎地向劳动争议双方当事人提供合适的会员名单供其选择,联邦调停调解局也可推荐仲裁员名单备选。目前全美共有 1200 名仲裁员,仲裁费因地区不同有所差异,波士顿地区仲裁费为每天 1000 美元。一般为每天 700 ~ 800 美元。据介绍，审理一起劳动争议大约需要 3 天，仲裁费为 3000 美元左右。

由于调解的结果双方都满意（双方在底线以上的让步促成新的协议），而仲裁的结果可能一方满意一方不满意，甚至双方都不满意，再加上仲裁费、律师费等费用昂贵，因此，绝大多数雇主和雇员以及工会愿意在调解程序中解决问题，很少选择仲裁。

为促进劳动关系的改善，避免和减少劳动纠纷，美国在国家一级建立了劳动关系委员会，由总统任命的 12 人组成。其中管理界与劳工界各有 6 名杰出人才出任。其职责是提出避免劳动纠纷的建议，对国家和公共福利有重大影响的争端的解决提供意见和咨询。同时，在企业、地区和行业也建立劳动关系委员会，由雇主、雇员和代表雇员的劳工组织共同组成。其职责是改善劳动关系，增强尊重双方利益的有益的对话。联邦调停调解局及其地区办公室将对企业、地区和行业劳动关系委员会成员进行培训，帮助他们掌握集体谈判技巧以及预防和管理冲突的能力，目的在于在企业一级解决劳动争端。为鼓励企业、地区和行业建立劳动关系委员会，国家劳动关系法中规定对委员会给予必要的拨款。

四、美国劳动争议处理制度的基本特点

美国劳动争议处理制度的形成有其深刻的政治、历史、文化和经济背景，其中一个重要的背景就是，随着战后经济的高速持续发展和工人工资、生活福利的大幅提高，工会与资方的关系已经由历史上主要表现为对立，转变为今天更多体现为合作。正因为如此，劳动关系才可能更多地通过谈判协商、辅之以调解得

以自我调整。联邦调停调解局提供的数字显示，过去的5年间，以罢工和关厂的方式进行的停工从1999年的411起下降至2004年的271起。通过考察，我们认为美国的劳动争议处理制度有以下四个鲜明特点：

其一，突出预防与调解，注重在企业层面解决劳动争议。

美国国家劳动关系法规定，减少劳工纠纷是雇员、雇员代表和雇主的共同责任。这是劳资双方的法定义务，也是在企业层面解决劳动争议的法律依据。在企业内部目前已经或者正在形成一种劳动关系自我调节机制，不仅有劳动关系委员会作为劳资对话的平台，而且形成了雇员申诉的正当途径和程序，并有同事核实委员会参与雇员申诉程序，保证申诉得到公正处置。

在企业外部，联邦调停调解局及其地区办公室不仅派出调解员参与企业具体劳动争议的调解（如果双方当事人自愿接受的话），而且开展预防性调解，即在劳资双方集体协议谈判过程中提前介入，协助双方促成协议；或者在双方出现争端苗头时，应邀介入调解，促成争议化解。

与此同时，为增强企业内部解决劳动争议的能力，联邦调停调解局及其地区办公室还对企业劳资双方开展有针对性的培训，培训包括四个方面的内容，分别是知识类，包括法律常识、企业规章以及工会的章程等；谈判技巧，即有效交流、解决问题的技巧；联系的能力，即与同行、上级以及管理或者代表的工人联系的能力；管理冲突的能力，包括实行所谓“门户开放”政策，即办公室呈开放式，及时与冲突各方对话等。

显然，在企业内部建立这样一种机制，企业外部又有政府作为中立方的调解与培训，必然会使日常大量的劳动争议得以在企业层面通过谈判协商乃至调解解决。

其二,差异化、多样化的劳动争议处理方式。

美国的劳动争议处理制度在管辖上体现出联邦和州分权即差异化的方式,从企业来说,年销售额为50万美元以上的企业适用联邦法律调整,年销售额50万美元以下的企业适用州法律调整;从雇员是否参加工会来说,属于工会雇员即有集体合同的雇员与企业发生的争议适用联邦法律,非工会雇员无论有无个人劳动合同适用州法律;从劳动争议处理方式上看,劳动关系双方当事人可以约定选择仲裁或者法院作为解决双方争议的途径;从集体合同与个人劳动合同的管理上看,法律规定集体合同到期前30天必须通知联邦调停调解局,而对个人劳动合同则无法律规定。

对于邮政和铁路(包括航空公司)两大行业的劳动争议,国会专门制订有单项法律,规定这些部门发生劳动争议必须先做调解。

美国劳动争议处理制度的多样化,体现在最大限度地尊重双方当事人的意愿,或调或裁或审,均由双方当事人协商确定。而包括企业内部建立的劳动关系委员会这一劳资双方沟通与对话的平台、建立和畅通雇员申诉渠道、建立劳资双方谈判协商机制,以及企业外部中立方的调解、对劳资双方相关人员的培训,直至独立的不受任何一方和政府约束的仲裁,则为各类不同的处理模式创造了条件。

此外,包括企业、地区和行业劳动关系委员会以及仲裁员协会和仲裁员在内的非政府组织或个人以不同方式参与劳动争议处理过程,也是劳动争议处理制度多样化的体现。

其三，仲裁员个人化与社会化，保证仲裁裁决的独立与公正。

在美国的劳动争议处理制度中，如果把调解员比作是“说客”旨在说合双方当事人坐下来通过谈判协商达成协议的话，那么，仲裁员的角色则更像“法官”，因为他作出的裁决是终局的，具有法律约束力。美国劳动争议的仲裁员均为独立的个人，不代表政府或者某个团体的立场，独立办案。而仲裁员的遴选则体现出社会化，需要双方当事人共同确定。办案实践中显示出来的水平和信誉度，往往是某个仲裁员能否获得双方当事人确认的重要衡量标准。一些仲裁员由于办事公正，深得劳资双方认可，信誉度很高，因而接受仲裁的案件数也多。波士顿一名仲裁员称其手上待审理的案件已经排到2006年5月。事实上，一些大公司都有几个劳资双方属意的仲裁员，一旦需要时则可直接聘请。社会化的遴选方式，无疑会迫使仲裁员努力掌握专业知识，严格依法办事，提高办案质量，非如此将很难得到客户的认可。

仲裁员的个人化与社会化，适应了美国劳动争议处理的需要，也使这一“准司法”程序免受各方干扰，确保仲裁员独立办案，公正裁决。

其四，仲裁终局制凸显了劳动争议处理制度的高效。

在美国劳动争议处理制度中，仲裁裁决为终局裁定，具有法律约束力，除非仲裁员在办案过程中有违法行为，否则法院不会推翻仲裁员的裁决。事实上，很少有被法院推翻的仲裁裁决。美国最高法院解释中规定，法院要非常尊重仲裁裁决，只授权进行有限的司法审查。目前仅有1%～1.5%的仲裁裁决被上诉至法院,其中极少数被推翻。劳动争议处理中的仲裁终局制,减少了双方当事人的讼累,把因劳动争议给当事人尤其是企业造成的经济损失降到最低程度。

衡量劳动争议处理制度的成功与否,一个重要的标准应当是处理时效的长短。道理很简单,劳动争议与一般民事案件的最大区别在于,前者直接影响到企业的经济活动,集体争议尤甚。同时因工资报酬、职业伤害、随意解雇等引发的劳动争议,对劳动者的伤害及其严重后果甚至是致命的,繁琐、拖沓的处理程序对劳动者来说则可能是进一步的伤害;而后者往往局限于原被告双方,影响相对较小。冗长的劳动争议处理程序无疑给双方当事人带来巨大的人力和物力负担,而仲裁终局制则使缩短劳动争议处理时效成为可能。